Berchtold Lehnherr
Nicole Duvoisin
Pascale Blumer
Peter Fluri
Miriam Herrmann
Miriam Lehrer

Biologie der Honigbiene

Band 2

Fachschriftenverlag des Vereins deutschschweizerischer
und rätoromanischer Bienenfreunde

Dank

Der Zentralvorstand des VDRB, die Buchkommission und die Projektleitung danken
- den Autorinnen und Autoren für ihr grosses, persönliches und zeitliches Engagement, ihre Ausdauer bei der Textarbeit und ihren Fleiss beim Zusammentragen und Auswählen des grossen Fachwissens,
- den Textleserinnen und -lesern für ihre wichtige Arbeit im „Verborgenen",
- den Mitarbeiterinnen und Mitarbeitern des Zentrums für Bienenforschung Liebefeld für ihre begleitende Beratung,
- der Gestalterin und dem Gestalter für die konstruktive, angenehme Zusammenarbeit und ihre kreative, kompetente, formgebende Arbeit,
- den Fotografinnen und Fotografen für ihre einmaligen Bildbeiträge aus nah und fern,
- den Lektorinnen und der Korrektorin für ihre kritischen und klärenden Textkorrekturen.

Impressum

Zentralvorstand VDRB: Hanspeter Fischer (Präsident), Berchtold Lehnherr, Heinrich Leuenberger, Hans Maag, Hansjörg Rüegg, Gebhard Seiler, Hans-Georg Wenzel

Buchkommission: Hansjörg Rüegg (Vorsitz), Peter Fluri, Christoph Joss, Matthias Lehnherr, Markus Schäfer, Gebhard Seiler

Projektleitung: Matthias Lehnherr (Gesamtleitung) und Markus Schäfer
Redaktion Band 2: Berchtold Lehnherr, Matthias Lehnherr
Lektorat: Pascale Blumer, Nicole Duvoisin
Korrektorat: Annemarie Lehmann

Gestaltung: Wiggenhauser & Woodtli, Zürich
Scanbelichtungen und Druck: Trüb-Sauerländer AG, Aarau

© Fachschriftenverlag VDRB
17., neue Auflage 2001

Alle Rechte vorbehalten.
Nachdruck oder Vervielfältigung des Buches oder von Teilen daraus nur mit ausdrücklicher Genehmigung des Verlages.

Fachschriftenverlag VDRB
Postfach 87
6235 Winikon
www.vdrb.ch

ISBN 3-9522157-1-6

Die Deutsche Bibliothek – CIP-Einheitsaufnahme
Der schweizerische Bienenvater / Verein Deutschschweizerischer und Rätoromanischer Bienenfreunde. Winikon : Fachschriftenverl. VDRB
ISBN 3-9522157-9-5

Bd. 2. Biologie der Honigbiene / Berchtold Lehnherr …
- 17., neue Aufl.. - 2001
ISBN 3-9522157-1-6

Der Schweizerische Bienenvater erschien erstmals 1889, im Selbstverlag der Verfasser J. Jeker, U. Kramer, P. Theiler. Die Autoren veröffentlichten in dieser **Praktischen Anleitung zur Bienenzucht** ihre Vorträge, die sie an Lehrkursen über Bienenzucht gehalten hatten.

Der „Schweizerische Bienenvater" hatte Erfolg. Durchschnittlich alle sieben Jahre erschien eine Neuauflage. Der Inhalt wurde dabei oft überarbeitet und erneuert. Zweimal seit seinem Erscheinen wurde das Standardlehrwerk vollständig neu geschrieben: 1929 (11. Auflage) von Dr. h.c. Fritz Leuenberger und 2001 (17. Auflage) von einem grossen Autorinnen- und Autorenteam.
Diese 17. Auflage erscheint erstmals in fünfbändiger Form, umfasst rund 550 Seiten und ist thematisch völlig neu gewichtet:

Band 1
Imkerhandwerk
Einer Imkerin und einem Imker über die Schulter geguckt – Aufbau einer Imkerei – Ökologische und ökonomische Bedeutung der Imkerei – Pflege der Völker im Schweizerkasten und im Magazin – Wanderung – Waben und Wachs – Massnahmen bei Krankheiten – Organisationen der Imkerei

Band 2
Biologie der Honigbiene
Anatomie und Physiologie – Drei Wesen im Bienenvolk – Lebenszyklus des Volkes und Massenwechsel – Lernfähigkeit und Verständigung – Krankheiten und Abwehrmechanismen

Band 3
Königinnenzucht und Genetik der Honigbiene
Einem Königinnenzüchter über die Schulter geguckt – Technik der Zucht – Begattung der Königin – Königinnen verwerten – Vererbungslehre – Züchtungslehre – Erbgut der Honigbienen in Mitteleuropa – Organisation der Züchterinnen und Züchter

Band 4
Bienenprodukte und Apitherapie
Honig, eine natürliche Süsse – Pollen, eine bunte Vielfalt – Bienenwachs, ein duftender Baustoff – Propolis, ein natürliches Antibiotikum – Gelée Royale, Futtersaft mit Formkräften – Bienengift, ein belebender und tödlicher Saft – Apitherapie

Band 5
Natur- und Kulturgeschichte der Honigbiene
Naturgeschichte: Insekten, die unterschätzte Weltmacht – Bienen – Wespen – Ameisen – Was kreucht und fleucht ums Bienenhaus? Kulturgeschichte: Ursprungsmythen und Symbolik – Vom tausendfältigen Wachs – Geschichte der europäischen Bienenhaltung und -forschung

Inhalt

	Bildnachweis	6
1	Anatomie und Physiologie der Honigbiene *(Berchtold Lehnherr, Nicole Duvoisin)*	7
	1.1 Körpergliederung	8
	1.2 Kopf, Fühler und Mundwerkzeuge	10
	1.3 Flügel und Beine	13
	1.4 Bienenstachel	19
	1.5 Darmkanal	20
	1.6 Atemorgane	22
	1.7 Hämolymphe, Herz und Fettkörper	23
	1.8 Nervensystem	24
	1.9 Sinnesorgane	25
	1.10 Drüsen	28
2	Bienenvolk – Königin, Arbeiterin, Drohne *(Nicole Duvoisin, Berchtold Lehnherr)*	35
	2.1 Vom Ei zur Biene	36
	2.2 Arbeiterin	40
	2.3 Königin	42
	2.4 Drohne	43
	2.5 Fortpflanzung	45
	2.6 Wabenbau	48
	2.7 Nestklima	54
	2.8 Nahrungsbedarf	56
3	Lebenszyklus des Volkes und Massenwechsel *(Pascale Blumer)*	59
	3.1 Geburt eines Bienenvolkes	60
	3.2 Bienenvolk im Jahreslauf	65

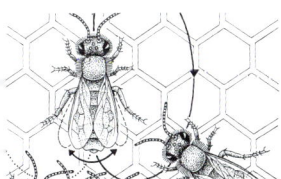

4	Lernfähigkeit und Verständigung *(Miriam Lehrer)*	73
4.1	Lernen im Dienst der Nahorientierung	74
4.2	Lernleistungen im Dienst der Fernorientierung	78
4.3	Sprache der Bienen	81
4.4	Muss alles gelernt sein?	86

5	Krankheiten und Abwehrmechanismen *(Miriam Herrmann, Peter Fluri)*	87
5.1	Was heisst krank?	88
5.2	Abwehr durch Verhalten	89
5.3	Anatomische und chemische Barrieren	91
5.4	Immunsystem	91
5.5	Krankheiten der Bienenbrut	92
5.6	Krankheiten der Brut und der erwachsenen Bienen	101
5.7	Krankheiten der erwachsenen Bienen	106
5.8	Königinbedingte Probleme	111
5.9	Mitbewohner	112

Quellen	116
Weiterführende Literatur	117
Register	118

Bildnachweis

4, 9, 23, 41, 49, 50, 51, 52, 55, 56, 59, 63, 67, 68, 69, 72, 78, 91, 92, 110, 121, 132, 134, 135, 139, 142 Archiv Schweizerische Bienen-Zeitung; **64** Bettoni, J.; **44** Binder, St.; **80, 84, 86, 89, 90** Blumer, P.; **57** nach Chauvin; **17** nach Duvoisin, N.; **5, 7, 11, 13, 34, 35, 36** Erickson, E. (1986) Atlas of the honey bee, Univ. Press, Iowa; **22** Fischer-Nagel, A.; **85** Gekeler, W.; **119, 136, 143** Hansen, H.; **39, 40, 75, 111, 125** Hüsing, J.O., und Nitschmann, J. (1987) Lexikon der Bienenkunde, Ehrenwirth, München; **144** Institut für Bienenkunde, Oberursel; **2, 45, 107** Hättenschwiler, J.; **54, 66 77, 109** Lehnherr, B.; **1, 53, 79** Lehnherr, M.; **94–100, 103, 104** Lehrer, M.; **37, 43, 65, 71** nach Lindauer, M. in: Hepburn (1986) Honeybees and wax, Springer, Berlin; **93** Lunau K.; **124, 137, 138** Pohl, F.; **126** nach Pohl, F. (1995): Bienenkrankheiten. Berlin: Deutscher Landwirtschaftsverlag. S. 92; **132 l** Ritter, W. (1996): Diagnostik und Bekämpfung der Bienenkrankheiten. Stuttgart: G. Fischer. S. 63; **113, 117, 120, 122** nach Ritter, W. (1996): Diagnostik und Bekämpfung der Bienenkrankheiten. Stuttgart: G. Fischer; **76** Seeley, Th. (1997) Honigbienen. Birkäuser, Basel; **26, 27** nach Snodgrass, R.E. (1984) Anatomy of the honey bee, Cornell-Universität, Ithaca; **15, 42, 58, 81u, 83, 106, 114, 115, 121 l, 123 m, r, 129, 130, 131, 133** Spürgin, A.; **67 u, 68 u, 87, 118, 123 l, 141** VDRB-Diaserie; **81** nach Weiss, K.; **46, 61, 62, 74** Winston, M. (1987) The Biology of the Honey Bee. Harvard, Cambridge; **32, 82, 88, 112, 116, 127, 128, 140** Zentrum für Bienenforschung, Liebefeld

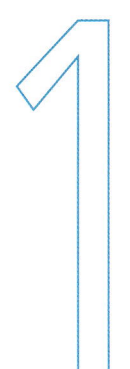

Anatomie und Physiologie der Honigbiene

Berchtold Lehnherr
Nicole Duvoisin

Mehrere Tausend Bienen bilden zusammen den Volkskörper, können längere Zeit tiefe Temperaturen oder Hitze überdauern und sind befähigt, sich als Einzelwesen kilometerweit von ihrem Stock zu entfernen, Pollen und Nektar zu sammeln und zu ihrem Volk zurückzufinden. Diese Leistungen sind nur möglich, weil die Biene mit besonderen Spezialisierungen ausgerüstet ist.

Abb. 1
Wabenbau entsteht
Dicht gedrängt ketten sich die Baubienen zu Trauben auf. Dadurch entsteht die nötige, konstante Wärme. Jede Biene baut für sich. Dazu braucht sie ihre Wachs- und Kopfspeicheldrüsen, ihre Hinter- und Vorderbeine und ihre Mandibeln, ihre Fühler und ihre Schwereorgane.

Abb. 2
Einsam in der Luft
Zusätzlich zu ihrem Seh- und Riechvermögen kann die Biene mit spezialisierten Sinnesorganen Erdstrahlen, Erdmagnetismus und polarisiertes Licht wahrnehmen. All dies ermöglicht ihr die Orientierung im Freien.

Anatomie und Physiologie der Honigbiene

1.1 Körpergliederung

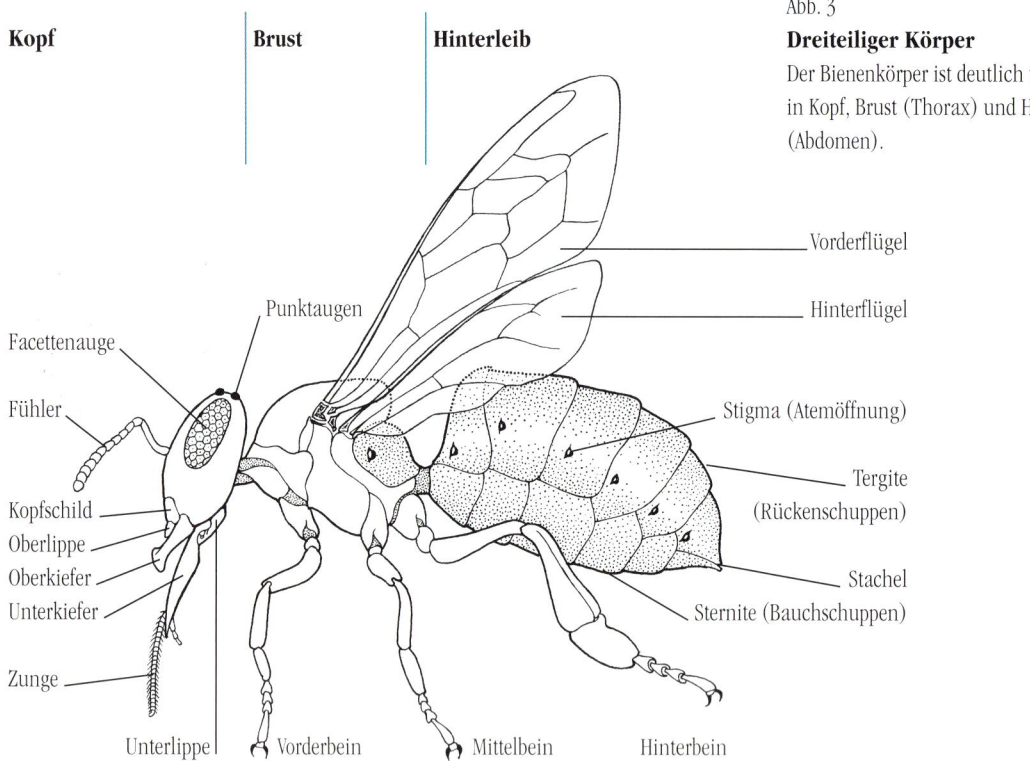

Abb. 3
Dreiteiliger Körper
Der Bienenkörper ist deutlich unterteilt in Kopf, Brust (Thorax) und Hinterleib (Abdomen).

Der Kopf (Caput) schützt das Gehirn und trägt die Mundwerkzeuge, drei Punkt- und zwei Facettenaugen sowie zwei Fühler (Antennen).

Der Brustteil (Thorax) ist fast vollständig mit Muskeln ausgefüllt, die drei Bein- und zwei Flügelpaare antreiben.

Der Hinterleib (Abdomen) enthält Organe für Verdauung, Blutkreislauf, Fortpflanzung und bei den Weibchen den Stechapparat.

Die drei Körperteile sind weiter gegliedert in Segmente (Leibesringe). Jene des Kopfes sind zu einer einheitlichen Kapsel verschmolzen. Die drei Segmente des Brustteils bestehen aus je einer Rücken- (Tergit) und Bauchschuppe (Sternit) sowie aus zwei Seitenplatten (Pleuralplatte). Sie bilden gemeinsam mit dem ersten Hinterleibsegment eine Einheit.

Der Hinterleib ist dehnbar, weil dessen einzelne Segmente durch elastische Häutchen verbunden sind. Äusserlich zu erkennen sind bei den Weibchen (Königinnen und Arbeiterinnen) sechs und bei den Männchen (Drohnen) sieben Segmente.

Das zweit- und dritthinterste Segment der Königinnen und Arbeiterinnen ist eingestülpt und bildet den Stechapparat.

Bei den Drohnen hat sich aus dem zweithintersten Segment deren Geschlechtsapparat entwickelt. Auch dieses Segment ist nach innen gestülpt. Bei allen drei Wesen entspricht das hinterste Segment dem weichhäutigen Afterring. Bei den Hinterleibsegmenten lassen sich ebenfalls Rücken- und Bauchschuppen unterscheiden.

Cuticula und Behaarung

Die Cuticula bildet das Aussenskelett der Insekten, an das die Muskeln ansetzen. Sie besteht vorwiegend aus Chitin, das mit Zellulose vergleichbar und elastisch ist. Das eingelagerte Melanin verleiht der Cuticula die typische Färbung (→ Band „Königinnenzucht", S. 87 f.), das Sklerotin festigt sie. Der Bienenkörper wird von einem dichten Haarkleid umhüllt. Die Bienenhaare sind von verschiedener Gestalt und Grösse, teils dem Körper anliegend, teils aufrecht stehend. Die meisten Haare sind ähnlich wie Federn seitlich verzweigt und lassen die Behaarung – besonders bei jungen Bienen – flaumig erscheinen. Mit zunehmendem Alter – oder bei Krankheit – verliert die Biene ihre Behaarung. Das Haarkleid hält die Bienen warm und beim Blütenbesuch verfangen sich in ihm Pollen.

Die zahlreichen Sinneshaare an Fühlern, Beinen und am Kopf nehmen äussere Reize auf.

Abb. 4
Cuticula
Sie bildet eine flexible und wasserabstossende Aussenhaut, einen Panzer, der den Bienenkörper vor Austrocknung, mechanischen und chemischen Einwirkungen sowie dem Eindringen von Krankheitserregern schützt.

Abb. 5
Kopfpartie
Fühler, Punktauge (rechts) und Facettenauge (links). Der Körper der Biene ist mit einem dichten Haarkleid versehen.

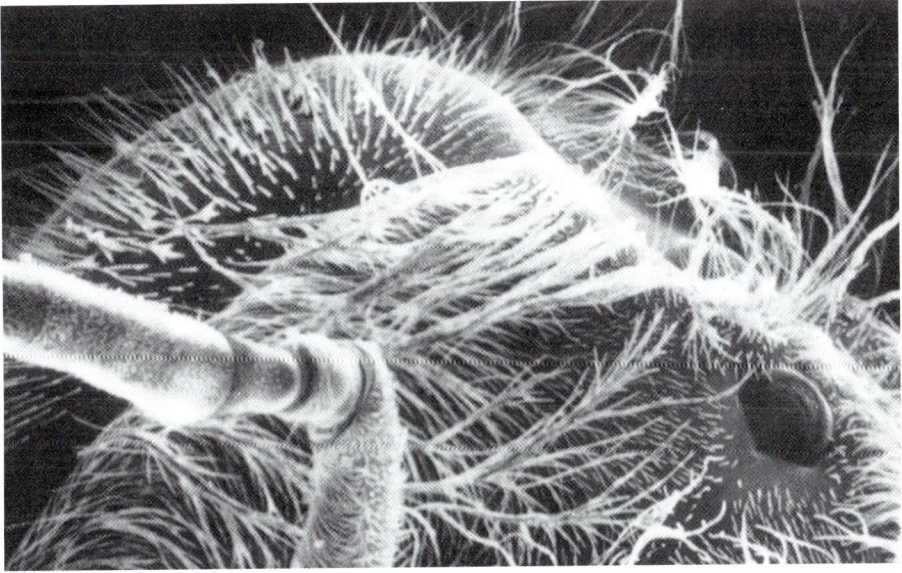

1.2 Kopf, Fühler und Mundwerkzeuge

Der Kopf trägt auf beiden Seiten Facettenaugen und im Scheitel drei Punktaugen, ferner ein Paar Fühler und die Mundgliedmassen. Bei der Arbeiterin ist er dreieckig, bei der Königin oval. Die Drohnen haben einen grossen, runden Kopf mit auffallend grossen Facettenaugen, die am Scheitel zusammenstossen (→ S. 25).

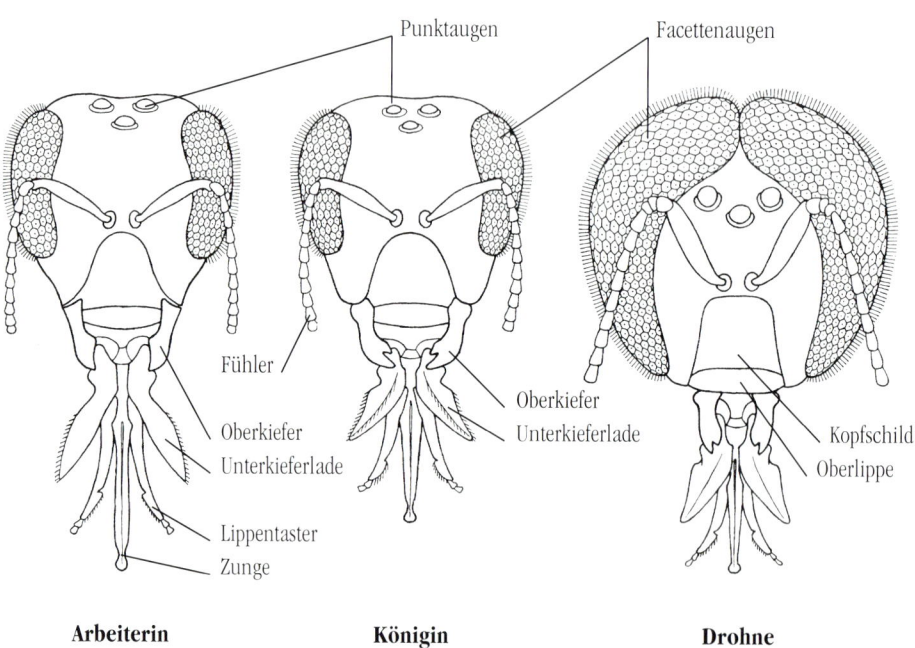

Abb. 6
Frontalansicht von Bienenköpfen

Arbeiterin **Königin** **Drohne**

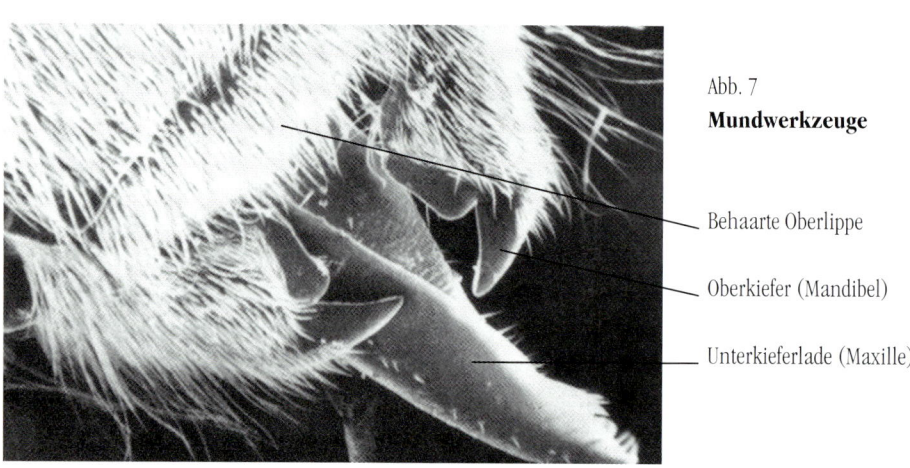

Abb. 7
Mundwerkzeuge

Behaarte Oberlippe

Oberkiefer (Mandibel)

Unterkieferlade (Maxille)

Fühler

Paarige Fühler (Antennen) sind für Insekten charakteristisch. Mit den beiden beweglichen Antennen am Kopf fühlt, riecht, tastet, hört und orientiert sich die Biene. Die Fühler sind gegliederte, dünnwandige Röhren, deren Inneres ein zartes Gewebe einnimmt, das Blutgefässe, feine Luftröhrchen sowie viele Nervenzellen durchziehen.

Der Fühler setzt sich aus drei ungleich langen, beweglichen Teilen zusammen: an der Spitze die lange Geissel, dazwischen das kurze Wendeglied und an der Basis der Schaft, der mit dem Kopf verbunden ist. Die Fühlergeisseln von Arbeiterin und Königin bestehen aus zehn kleineren, die der Drohne aus elf grösseren Gliedern. Die Oberfläche der Fühlergeisseln ist durch viele Sinnesorgane besetzt (→ S. 27). Die Drohnen verfügen über eine grosse Anzahl von Sinneshaaren (Sensillen), die auf Sexuallockstoffe der Königin reagieren.

Mundwerkzeuge

Zu den Mundgliedmassen der Biene zählen Oberkiefer, Unterkiefer und Unterlippe.

Die beiden Oberkiefer (Mandibeln) sind sklerotisierte (verhärtete) Schaufeln, die eine schnabelförmige Zange bilden und sich seitwärts bewegen können. Mit ihnen bearbeitet die Arbeiterin Pollen, Propolis, Wachsplättchen und Zellwände, erfasst Krümel, tote Larven oder beisst Staubbeutel von Blüten auf. Die Oberkiefer der Königinnen und Drohnen sind gezahnt. Damit schneiden sie beim Schlüpfen den Zelldeckel auf.

Die Oberkiefer der Arbeiterinnen jedoch weisen keine Zähne auf. Um sich aus der Brutzelle zu befreien, müssen die jungen Arbeiterinnen den Zelldeckel Stück für Stück abtragen. Unterstützend wirkt dabei die Wachs lösende Eigenschaft des Oberkieferdrüsensekretes. Die Königin setzt ihre kräftigen Oberkiefer auch im Kampf gegen Nebenbuhlerinnen ein.

Abb. 8
Fühler
Sie tragen zahlreiche Geruchs- und Geschmacksrezeptoren (Haarsensillen, Riechkegel, Porenplatten oder Grubenkegel);
Fühler der Drohne mit Geisseln aus elf Gliedern;
Fühler der Arbeiterin mit Geisseln aus zehn Gliedern.

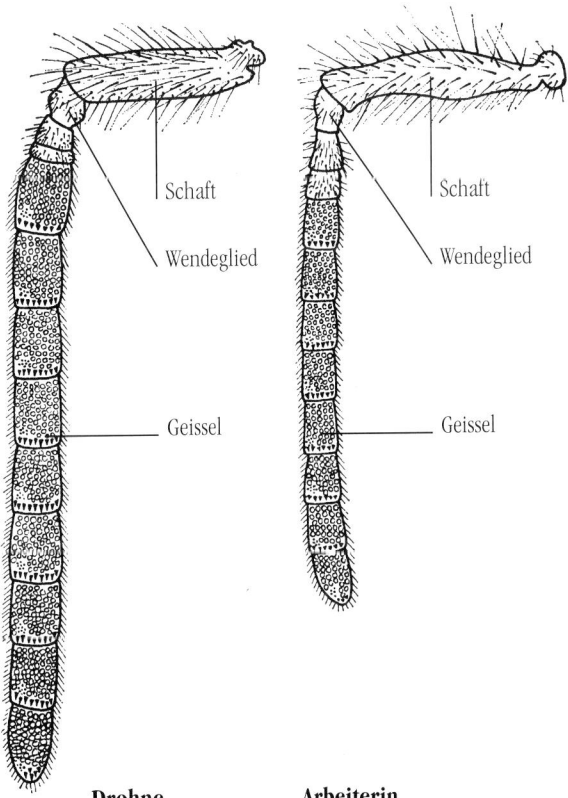

Drohne   **Arbeiterin**

Anatomie und Physiologie der Honigbiene

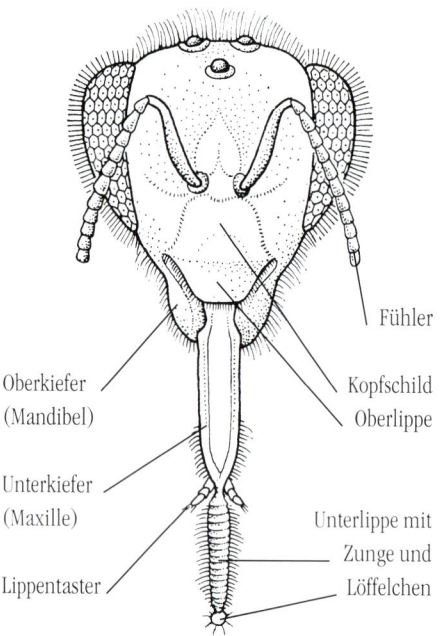

Abb. 9
Kopf einer Arbeiterin mit Mundwerkzeugen
Mit der Zunge leckt und saugt die Biene zuckerhaltige Pflanzensäfte und Wasser.

Oberkiefer (Mandibel)
Unterkiefer (Maxille)
Lippentaster
Fühler
Kopfschild
Oberlippe
Unterlippe mit Zunge und Löffelchen

Der Unterkiefer (Maxille) ist paarig und gliedert sich in: Stammstück (Stipes), Kiefertaster (Maxillarpalpus) und Unterkieferlade. Bei der Unterlippe (Labium) sind die ursprünglich paarigen Teile verwachsen.
Einzig die beiden Anhänge der Unterlippe, Lippentaster (Labialpalpus) und Nebenzunge, liegen paarig vor. Die Unterlippe ist ebenfalls gegliedert in: Unterkinn (Submentum), Kinn (Mentum) und Zunge. Mit der stark behaarten Zungenspitze, dem Löffelchen, können die Bienen kleine Nektartröpfchen auflecken. Der Nektar steigt dann kapillar zwischen den Haaren der Zunge empor. Um grosse Nektarmengen aufzunehmen, schliessen sich Unterkieferlade und Lippentaster zu einem Saugrohr, dem Rüssel, zusammen. Darin bewegt sich die Zunge vor und zurück und pumpt die Flüssigkeit in Schlund, Speiseröhre und Honigblase.

An der Zungenwurzel liegt die so genannte Futterrinne, die das Gaumensegel während des Saugens verschliesst. Öffnet die Biene die Futterrinne, so kann sie den Stockgenossinnen den Inhalt ihres Honigmagens anbieten. Bei der gegenseitigen Fütterung werden Informationen (u.a. auch Pheromone) ausgetauscht, die für das Funktionieren des Bienenstaates wichtig sind (→ S. 40).
In Ruhestellung liegt der Rüssel eingeklappt in einer Furche an der Unterseite des Kopfes. Die Rüssellänge der Arbeiterinnen, von der Zungenspitze bis zum Unterkinn gemessen, dient als Rassenmerkmal. Bei der dunklen Biene *(Apis mellifera mellifera)* beträgt sie 6–6,5 mm, bei der grauen Biene *(A. m. carnica)* 6,4–7,0 mm. Auch die Rüssellänge der drei Bienenwesen unterscheidet sich. Arbeiterinnen haben die längsten Rüssel. Jene von Königinnen (4,5 mm) und besonders die der Drohnen sind deutlich kürzer (3,5 mm).

Anatomie und Physiologie der Honigbiene

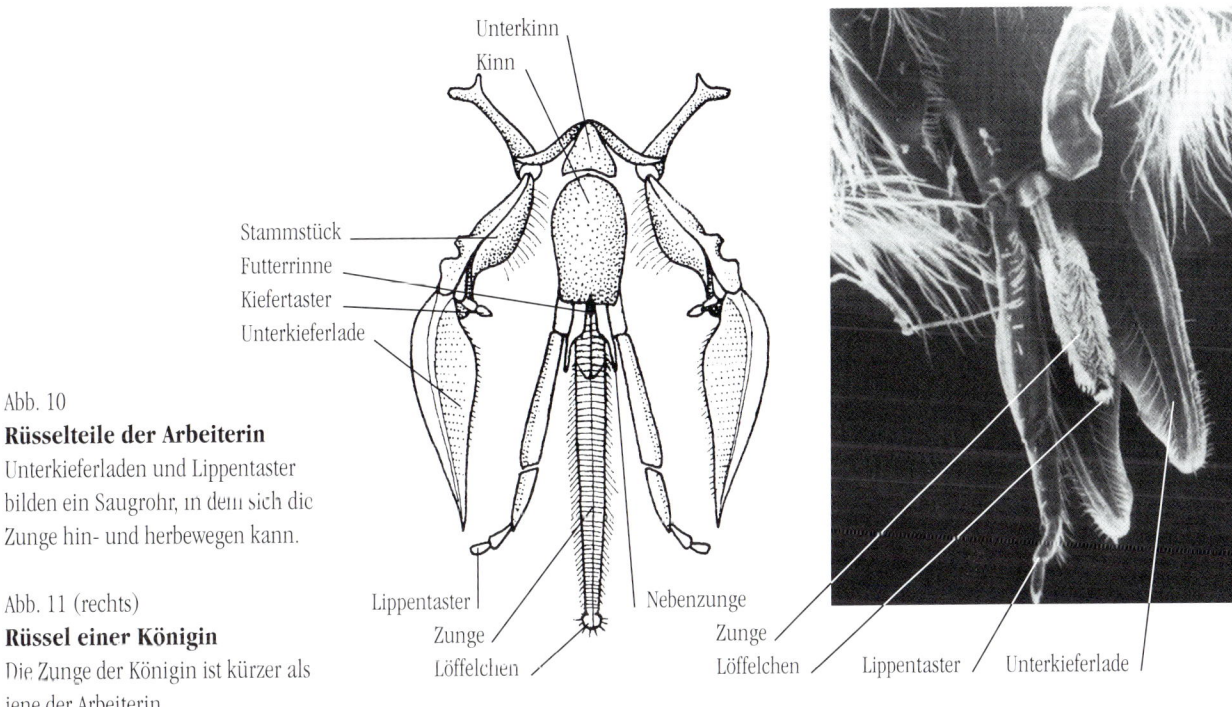

Abb. 10
Rüsselteile der Arbeiterin
Unterkieferladen und Lippentaster bilden ein Saugrohr, in dem sich die Zunge hin- und herbewegen kann.

Abb. 11 (rechts)
Rüssel einer Königin
Die Zunge der Königin ist kürzer als jene der Arbeiterin.

1.3 Flügel und Beine

Flügel
Die Bienen verfügen über je ein Paar Vorder- und Hinterflügel. Alle Flügel entspringen am Thorax, die grossen Vorderflügel bei der Verbindungshaut von Rücken- und Bauchschuppen des zweiten Brustringes und die kleineren Hinterflügel bei der Verbindungshaut des dritten Brustringes. Die dünnhäutigen Flügel waren Namen gebend für die Tierordnung der Hymenopteren (Hautflügler), der auch die Bienen angehören.

Ein Netzwerk leistenförmiger Verdickungen, die Flügeladern, festigen die Flügel und unterteilen sie zugleich in Felder oder Zellen. Die Grösse und Gestalt der dritten Cubitalzelle dient als Rassenmerkmal. Sie ist bei *A. m. mellifera* kurz und breit, bei *A. m. carnica* lang und dünn. Der Cubitalindex, das Verhältnis der Abschnitte a zu b, schwankt bei *A. m. mellifera* von 1,3–2,3 und bei *A. m. carnica* und *A. m. ligustica* von 1,9–4,7 (→ Band „Königinnenzucht", S. 89).

Abb. 12
Flügel
Vorder- und Hinterflügel mit Adernetz; Vorderflügel mit Cubitalzellen I, II, III und Radialzellen.
Das Verhältnis a zu b wird als Cubitalindex bezeichnet.

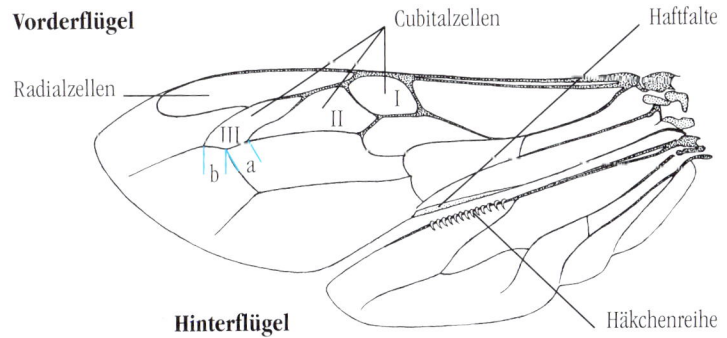

13

Anatomie und Physiologie der Honigbiene

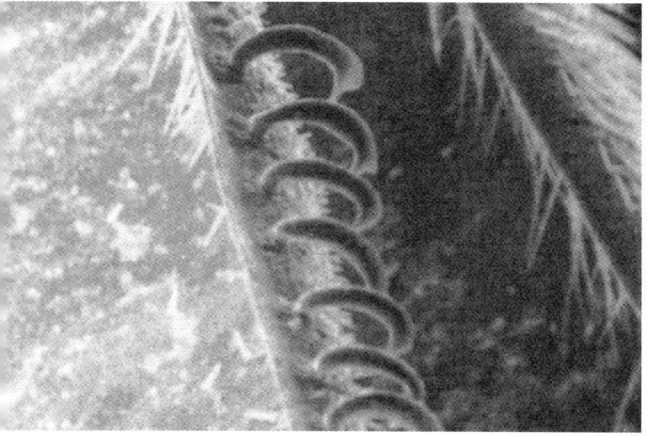

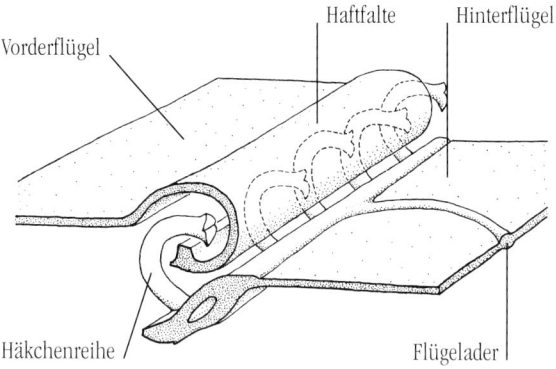

Abb. 13
Flügelverbindung
Eine Häkchenreihe des Hinterflügels greift in die Haftfalte des Vorderflügels.

Während des Fluges verbinden sich Vorder- und Hinterflügel. 20 feine Häkchen am vorderen Rand des Hinterflügels greifen in die Haftfalte am Rand des Vorderflügels ein.
Der Flugapparat wird durch die Längs- und Quermuskeln in der Brusthöhle angetrieben. Sie setzen nicht direkt an den Flügeln an, sondern an den elastischen Bauch- und Rückenschuppen. Deren Verbindungsnaht gleicht einem Gelenk, in das die Flügelwurzeln eingefügt sind. Die Quermuskulatur zieht die beiden Schuppen zusammen und der Flügel hebt sich. Er senkt sich hingegen, wenn die Längsmuskulatur aktiv ist und die Schuppen auseinander streben.
Durch rasche Bewegung der Bauch- und Rückenschuppen des Thorax schwirren die Flügel mit einer Frequenz von 75–150 Schlägen pro Sekunde. Je nach Temperatur arbeitet die Flugmuskulatur mehr oder weniger. Bei 20 °C liegt die Frequenz bei 75 Schlägen pro Sekunde, bei 35 °C erreicht sie 150 Schläge pro Sekunde. Die Fluggeschwindigkeit der Sammelbienen variiert auch mit der Qualität der Futterquelle. So wurde bei einer 8%igen Zuckerlösung eine mittlere Geschwindigkeit von 7 Meter pro Sekunde (25 km/h) gemessen. Bei einer 68%igen Lösung flog die schnellste Sammlerin im Test doppelt so schnell. Die Geschwindigkeit entspricht damit etwa der eines Velofahrers. Daneben beeinflusst auch der Wind das Tempo der Biene. Als Treibstoff verbraucht die Biene während des Fluges 2–24 mg Zucker pro Stunde oder rund 9 µg Glykogen pro Flugminute.
Die Flügel werden auch zum Belüften des Stockes eingesetzt. Beim Fächeln stehen die Bienen dicht nebeneinander und stossen die feuchte Stockluft aus dem Innern der Beute. Gleichzeitig entziehen sie dabei dem frisch eingetragenen Nektar Wasser. Mit den schwirrenden Flügeln lassen sich auch Duftstoffe verbreiten, die im Bienenstock der Kommunikation dienen (→ S. 31).

Anatomie und Physiologie der Honigbiene

Abb. 14
Bewegungsphasen der Flügel
Durch Zusammenzug der Quermuskulatur senkt sich die Rückenschuppe, so dass der Flügel aufwärts bewegt wird. Die Längsmuskulatur hebt die Rückenschuppe, und der Flügel senkt sich.

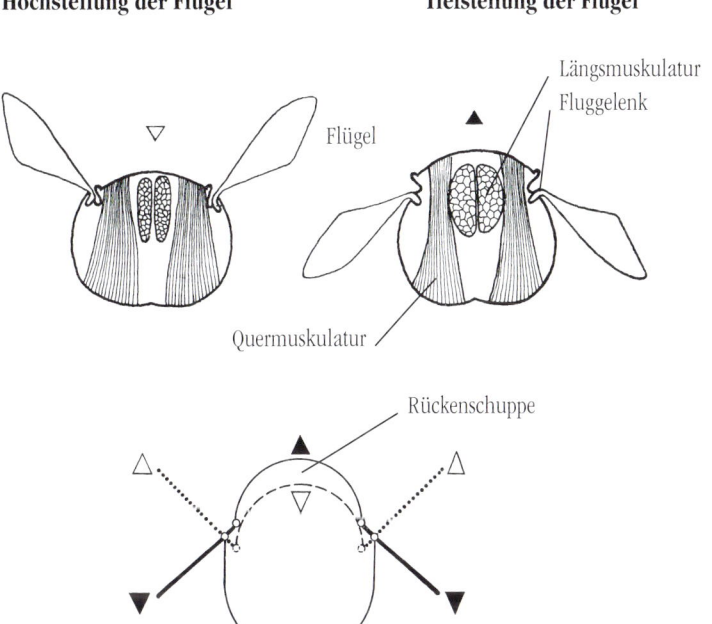

Abb. 15
Fächelnde Bienen vor dem Flugloch
Die Flügel dienen auch zum Herausfächeln der feucht-heissen Stockluft und zum Verbreiten der Duftstoffe.

Anatomie und Physiologie der Honigbiene

Beine

Als Markenzeichen tragen Insekten drei Beinpaare, also sechs Beine. Auch die Honigbiene hat je zwei Vorder-, Mittel- und Hinterbeine, die am ersten, zweiten und dritten Segment des Thorax ansetzen. Sie sind Fortbewegungsmittel und Werkzeug zugleich. Die Biene geht im Zweitakt. Dabei bewegt sich das Mittelbein jeweils gleichzeitig mit dem gegenüberliegenden Vorder- und Hinterbein.

Jedes Bein besteht aus mehreren Gliedern, dem Hüftglied (Coxa), Schenkelring (Trochanter), Schenkel (Femur), der Schiene (Tibia) und dem Fuss (Tarsus), der wiederum fünf Einzelglieder umfasst (→ S. 17). Das erste Fussglied ist verlängert und wird als Ferse (Metatarsus) bezeichnet. Am letzten Fussglied (Klauenglied) setzen zwei Krallen an. Zwischen den Krallen liegt ein Haftläppchen, das Arolium, mit dessen Hilfe die Biene glatte und senkrechte Wände erklimmt. Zur Vergrösserung der Haftkraft (Adhäsion) dient das Sekret der so genannten Anhardt'schen Drüse (→ S. 30).

Das Haftläppchen überträgt auch das Fussabdruckpheromon der Biene. Damit kennzeichnet diese ihren Stockgenossen unter anderem den Stockeingang.

Bei allen drei Bienenwesen weist die Ferse des Vorderbeines eine Putzscharte auf, die mit feinen Börstchen versehen ist. Der verbreitete Sporn der Schiene verschliesst diese Putzscharte, sobald die Biene Schiene und Ferse anwinkelt. Die Fühler werden durch die geschlossene Putzscharte gezogen und auf diese Weise von Staub befreit. Die Bienen haben ausserdem an der Innenseite der Fersen aller drei Beinpaare bürstenartige Haare. Bei den Hinterbeinen der Arbeiterinnen sind diese Fersenhaare in zehn Querreihen angeordnet. Sie dienen ebenfalls der Körperpflege. Dabei streichen Vorder- und Mittelbeine von hinten nach vorn über Kopf und Brust, während die Hinterbeine in entgegengesetzter Richtung den Hinterleib kämmen.

Die Arbeiterin setzt ihre Beine auch beim Wabenbau ein. Die Wachsdrüsen auf der Bauchseite des Hinterleibes scheiden Wachsplättchen aus, welche die Bienen mit den Fersenbürstchen der Hinterbeine aufspiessen, mit den Vorderbeinen abnehmen und mit den Mandibeln bearbeiten (→ S. 32 f.).

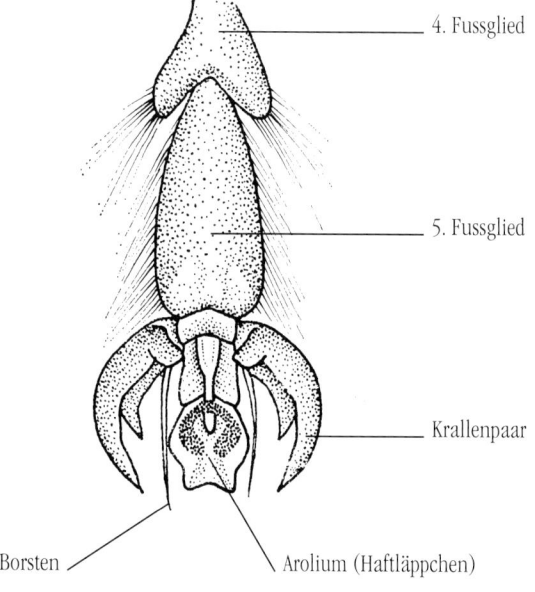

4. Fussglied
5. Fussglied
Krallenpaar
Borsten
Arolium (Haftläppchen)

Abb. 16
Fuss mit Krallen und Haftläppchen

Anatomie und Physiologie der Honigbiene

Abb. 17
Vorderbein
Am gestreckten Vorderbein ist die Putzscharte geöffnet. Die Biene reinigt Antennen und Mundwerkzeuge, indem sie jene mit dem Sporn einklemmt und durch die behaarte Putzscharte zieht.

Abb. 18
Putzscharte
Beim angewinkelten Vorderbein ist die Putzscharte geschlossen.

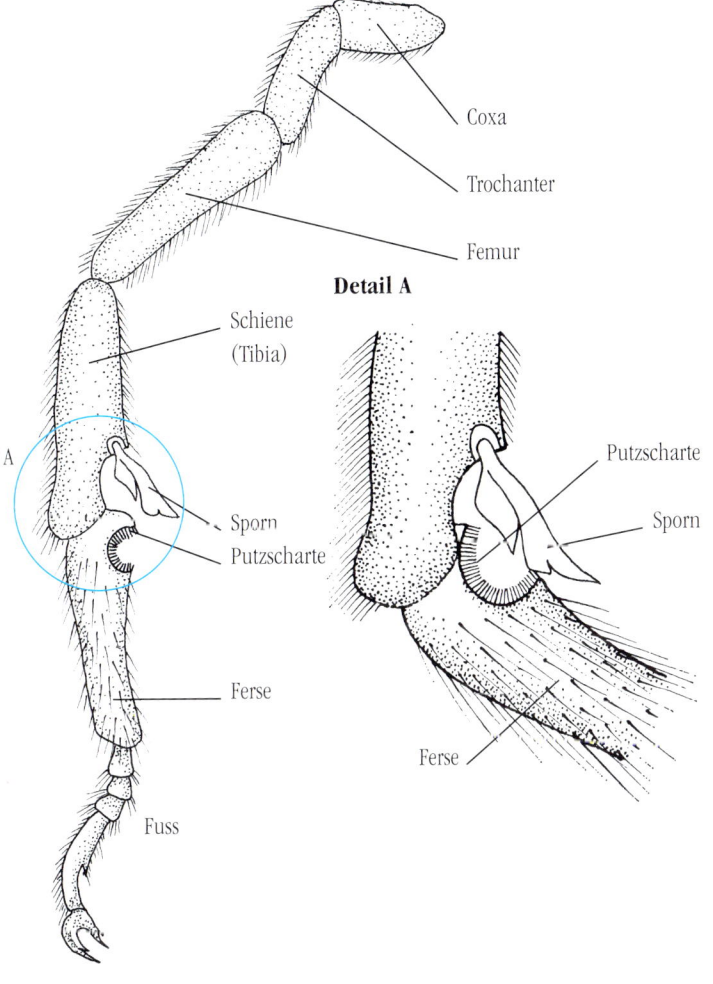

Pollenkamm und -körbchen

Beim Pollensammeln spielen die Beine ebenfalls eine wichtige Rolle. Besucht die Biene eine Blüte, so wird ihr ganzer Körper mit Blütenstaub eingepudert. Mit den Fersenbürsten der Vorderbeine kämmt die Biene den Blütenstaub von Kopf und Hals und befeuchtet ihn gleichzeitig mit etwas Nektar. Die Bürsten des Mittelbeinpaares säubern die Brust und übernehmen die Pollenkörner aus den Fersenbürsten der Vorderbeine. Dann zieht die Biene die Mittelbeine durch die parallel gehaltenen Hinterbeine. Dabei bleibt der Pollen an den Hinterbeinen hängen.

An den Hinterbeinen tragen die Arbeiterinnen an der Aussenseite der Schienen die so genannten Körbchen. Die glatte Fläche wird von einwärts gebogenen Haaren umgeben. Am unteren Schienenrand bildet eine Reihe steifer Borsten den Pollenkamm. Ihm gegenüber, an der Oberkante des Fersengliedes, liegt ebenfalls eine Borstenreihe, der Pollenschieber. Wenn die Arbeiterin die Hinterbeine aneinander reibt, lösen Pollenkamm und -schieber den Pollen aus den Fersenhaaren und drücken ihn in das Körbchen. Mit jeder Pollenladung wächst das Pollenhöschen. Eine kräftige Einzelborste am Grund des Körbchens verleiht dem Pol-

1 Anatomie und Physiologie der Honigbiene

lenhöschen Halt. Vor dem Heimflug wird das Pollenhöschen mit den Mittelbeinen festgeklopft. Ein Pollenhöschen wiegt je nach Ergiebigkeit der Tracht 2 bis 8 mg (→ Band „Bieneprodukte", S. 41).

Königin und Drohne besitzen keine Sammelapparate an den Beinen. Die Königin ist unter anderem an ihren kahlen, braun-rötlich glänzenden Schenkeln zu erkennen.

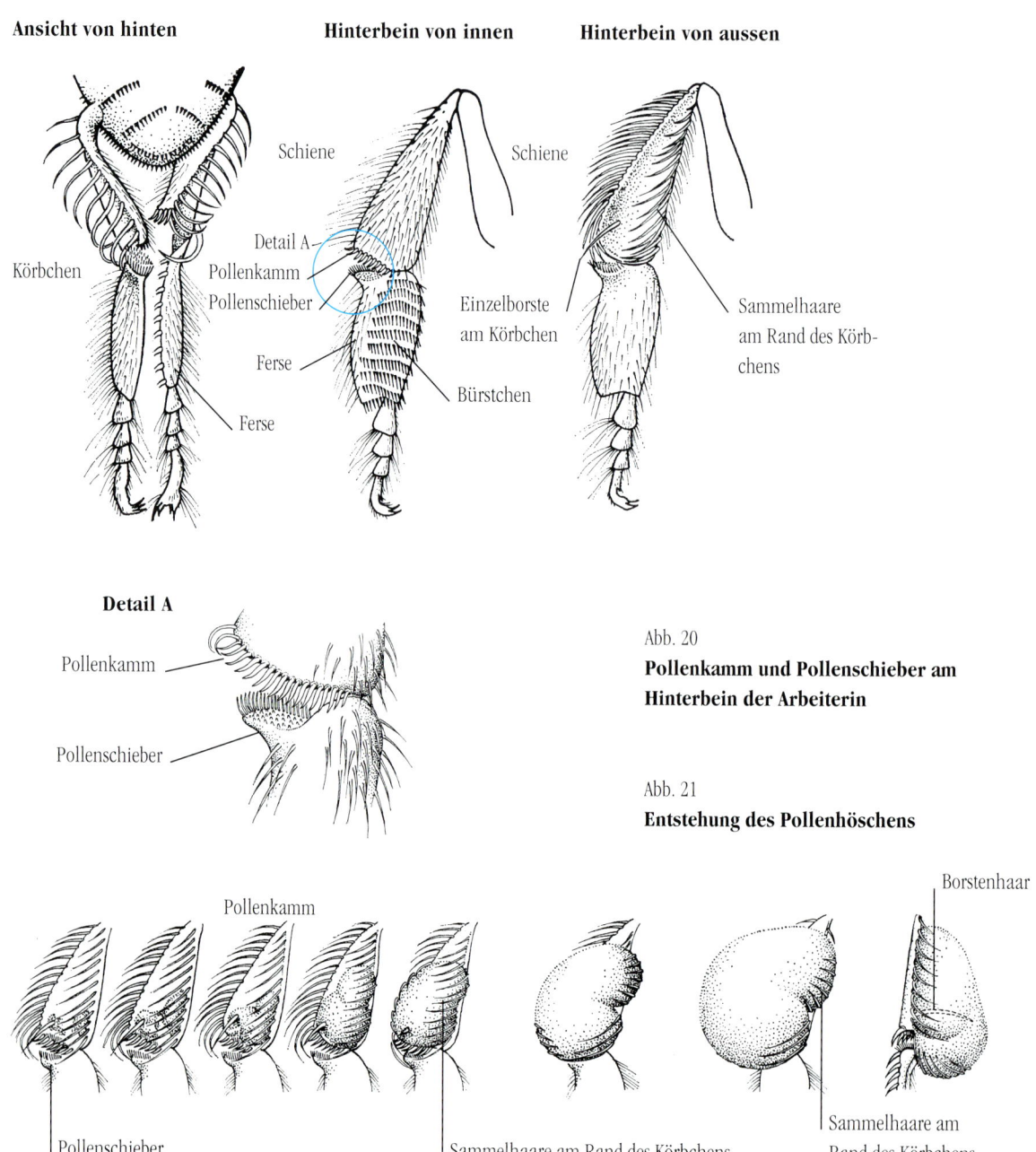

Abb. 19
Hinterbein mit Pollensammelapparat

Abb. 20
Pollenkamm und Pollenschieber am Hinterbein der Arbeiterin

Abb. 21
Entstehung des Pollenhöschens

Anatomie und Physiologie der Honigbiene

1.4 Bienenstachel

Nur die weiblichen Bienen haben einen Stachel. Stachelapparat und Giftblase sind aus 13 Elementen aufgebaut. Der eigentliche Stachel besteht aus der Stachelscheide, der Stachelrinne und den beiden Stechborsten. Beim Stechvorgang bewegen Muskeln die Stechborsten in der Stachelrinne vor und zurück. Da die beiden Stechborsten mit Widerhaken versehen sind, dringt der Stachel durch diese Bewegung tief in die Haut des Opfers ein.

Das Bienengift wird von der Giftdrüse gebildet und in der Giftblase gesammelt (→ S. 32). Es fliesst durch die Stachelrinne und gelangt über die Stechborsten in die Wunde. Die Giftblase frisch geschlüpfter Bienen ist leer und füllt sich erst allmählich, bis sie schliesslich bei den Wächterinnen 0,3 mg Bienengift fasst. Später vermindert sich ihr Inhalt wieder (→ Band „Bienenprodukte", S. 80).

Beim Stechen in elastische Haut bleiben die Widerhaken der Stechborsten stecken, so dass sich die flüchtende Biene den gesamten Stachelapparat aus dem Leib reisst. Dabei stirbt die Biene. Kämpft hingegen eine Biene gegen andere Insekten, so verliert sie ihren Stachel nicht, denn die Widerhaken finden in der dünnen Haut zwischen den Segmenten kaum Halt.

Die Stachelspitze der Arbeiterin hat zehn, jene der Königin vier Widerhaken. Diese braucht den Stachel im Kampf gegen ihre Rivalinnen. Bei den Königinnen trocknet die Giftblase im Laufe des ersten Lebensjahres aus (→ S. 32).

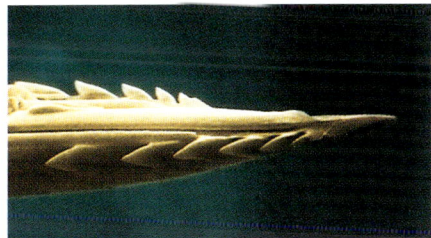

Abb. 22
Stachel mit Gifttropfen

Abb. 23
Stachelspitze

Abb. 24
Bienenstachel mit Stechapparat

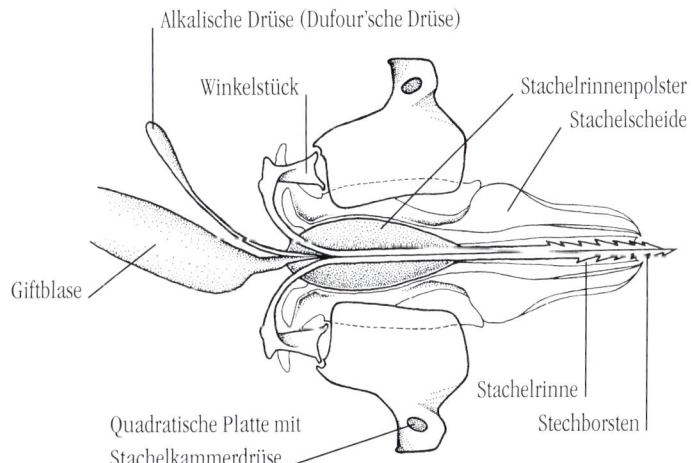

1.5 Darmkanal

Die Nahrung der Biene, Pollen, Nektar und Wasser, wird im Darmkanal aufgeschlossen. Dieser gliedert sich in Vorder-, Mittel- und Enddarm.

Vorderdarm

Der Vorderdarm beginnt unmittelbar hinter der Mundöffnung und umfasst Schlund, Speiseröhre sowie Honigblase. Der Schlund (Pharynx) dient als Pumpwerk, um flüssige Nahrung einzusaugen. An ihn schliesst die Speiseröhre (Ösophagus) an, die zuerst eng ist und sich dann zur Honigblase erweitert. Die Honigblase ist dehnbar und kann 50–70 µl fassen. Dieses Volumen entspricht dem Körpergewicht einer Biene! Mittels Honigblase wird Nahrung transportiert und gespeichert. Wenn die Biene Druck auf die Honigblase ausübt, kann sie deren Inhalt willkürlich auswürgen und an die Larven verfüttern. Die Honigblase wird auch als Honigmagen bezeichnet, obwohl sie keine Sekrete ausscheidet. Der Ventiltrichter (Proventriculus) schliesst den Vorderdarm gegen den Mitteldarm ab. Er besteht aus vier lippenförmigen, bewimperten Klappen und filtert die festen Bestandteile wie Pollenkörner, Nosema- und Faulbrutsporen (→ S. 93) aus dem Honigblaseninhalt heraus. Die Partikel werden mit etwas Nektar vermengt und portionenweise an den Mitteldarm abgegeben. Das Entfernen fester Partikel aus dem Honigblaseninhalt ist für die Gesundheit des Bienenvolkes bedeutend.

Mitteldarm

Der Mitteldarm ist der grösste Abschnitt des Darmkanals. Er gibt Verdauungsenzyme ab und nimmt Nährstoffe auf. Die Mitteldarmzellen (Darmepithel) sondern fortwährend eine zarte Membran ins Darmlumen ab. Diese peritrophische Membran besteht aus Mucopolysacchariden, Proteinen und chitinhaltigen Mikrofibrillen. Sie umschliesst die Nahrungsklümpchen auf ihrem Weg durch den Mitteldarm und schützt so die Darmschleimhaut vor mechanischen Verletzungen. Für Verdauungsenzyme und Nährstoffe ist die Membran aber durchlässig. Zuerst zerlegen die Enzyme die umhüllte Nahrung in einfache chemische Verbindungen, die Nährstoffe. Sie werden anschliessend ins Darmlumen abgegeben und gelangen über die Darmwand in die Hämolymphe, die sie den Organen zuführt. Der Mitteldarm beherbergt auch zahlreiche Bakterien und Pilze. Diese werden Darmflora genannt und spielen beim Aufschluss der Nahrung eine wichtige Rolle. Im Enddarm bilden die unverdauten Nahrungsreste wurstförmige Klümpchen.

Der Verdauungsvorgang kann durch schmarotzende Nosema oder mineralstoffreichen Honigtauhonig gestört sein (→ S. 108, 110).

Enddarm

Der Pförtner (Pylorus) regelt den Übertritt der Nahrungsreste vom Mitteldarm in den Enddarm. Er wird von einer muskulösen Hautfalte gebildet. Auch rund 100 lange, dünne Schläuche, die Malpighischen Gefässe, münden hier am Eingang des Enddarmes. Sie übernehmen die Funktion der Nieren und entziehen dem Bienenblut Harnsäure und andere Abbauprodukte.

Der Enddarm gliedert sich in Dünndarm und Kotblase. Während im Dünndarm (Duodenum) noch gewisse Verdauungsprozesse ablaufen, dient die Kotblase (Rectum) vorwiegend als Speicher der Exkremente. Sie ist stark dehnbar, denn die Bienen geben den Kot nur bei Reinigungsflügen ab (→ Abb. 111, S. 90). Während der Wintermonate oder längerer Flugpausen im Sommer wirkt die Katalase der raschen Zersetzung des Kotblaseninhaltes entgegen. Dieses Enzym wird von den Rektaldrüsen abgegeben (→ S. 30).

Anatomie und Physiologie der Honigbiene

Abb. 25
Darmkanal der erwachsenen Biene

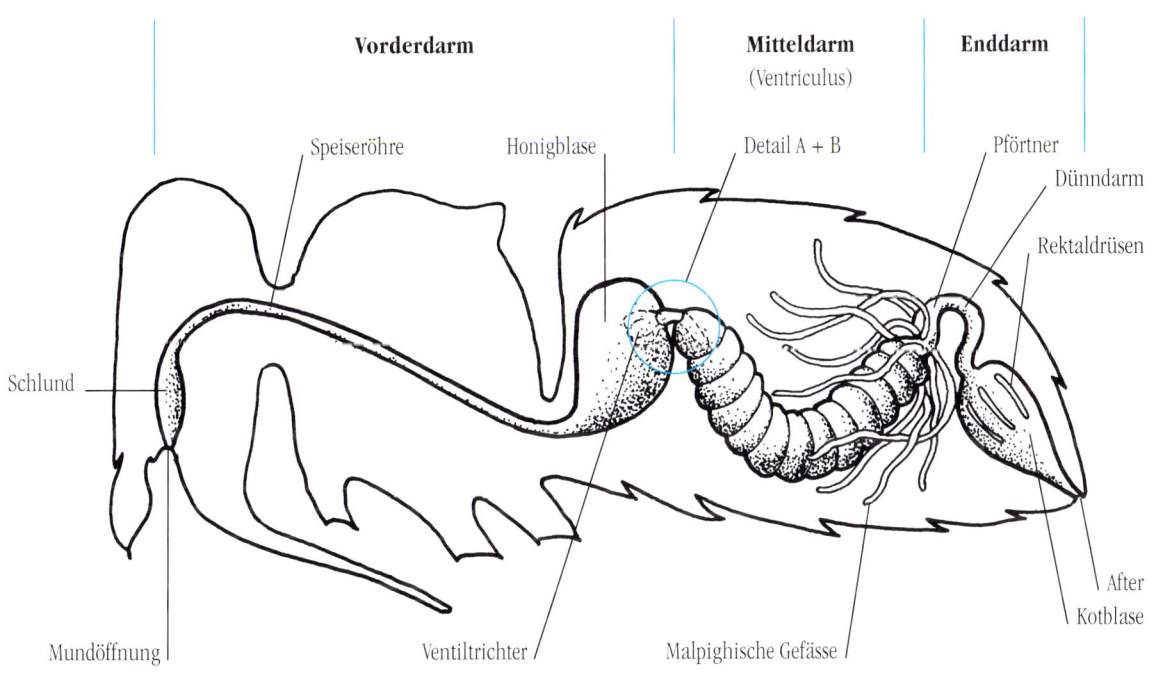

Detail A

Detail B

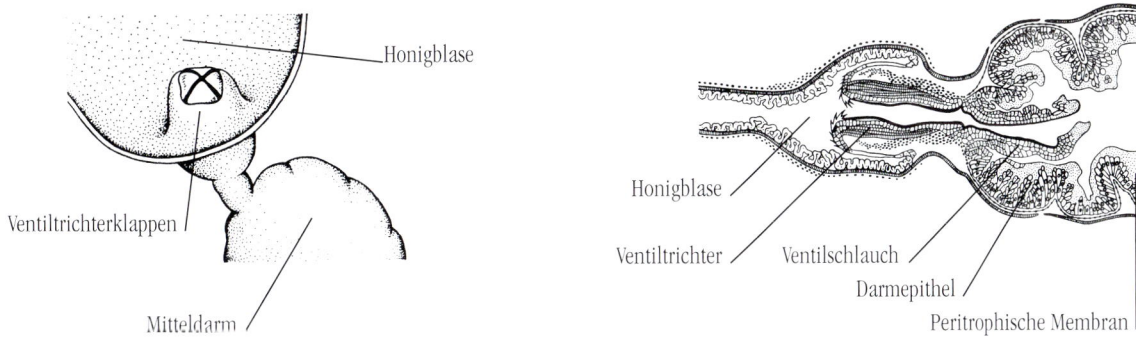

Abb. 26 (Detail A)
Ventiltrichter
Die Biene öffnet den Trichter, wenn sie Hunger oder Durst hat. Er überführt feste Partikel aus dem Honigblaseninhalt in den Mitteldarm.

Abb. 27 (Detail B)
Längsschnitt durch den Ventiltrichter
Der Ventilschlauch ragt in den Mitteldarm hinein und verhindert, dass die Nahrung aus dem Darm in die Honigblase zurückfliesst.

Anatomie und Physiologie der Honigbiene

1.6 Atemorgane

Die Biene atmet über ein ausgedehntes, verzweigtes System von Luftröhren, die Tracheen. Sie verbinden alle Organe und Gewebe mit der Aussenluft und ermöglichen den Austausch von Sauerstoff und Kohlendioxid, der nicht über die Hämolymphe erfolgt.

Die Hauptstämme der Tracheen gehen von zehn paarigen Atemöffnungen (Stigmen) aus, die sich auf beiden Seiten der Brust und des Hinterleibes befinden. Hinter den Atemöffnungen schliessen sich die Tracheen zu Luftsäcken zusammen. Während die Tracheen, ähnlich einem Staubsaugerschlauch, durch spiralförmige Chitinleisten verstärkt werden, fehlen den Luftsäcken solche Wandverstärkungen. Die von den Luftsäcken ausgehenden Tracheen verzweigen sich und bilden schliesslich ein Netz aus feinsten Luftröhrchen, den Tracheolen. Sie umspinnen die Organe und sichern die Luftdiffusion zu allen Zellen.

Die Atmung wird durch Pumpbewegungen des Hinterleibes vorangetrieben.

Die Atemlöcher des Hinterleibes spielen auch beim Quaken und Tüten der Königin eine Rolle. Mittels Zitterbewegungen der Flügel und des Körpers stösst die Königin durch die Atemlöcher Luft aus. Dadurch erklingen flötenähnliche Laute. (→ S. 63)

Bei den Atemöffnungen der Brust tritt die Luft ungehindert ein. Jene des Hinterleibes lassen sich mit kleinen Reusen öffnen und schliessen. Die Reusen schützen die Tracheen auch vor Fremdkörpern.

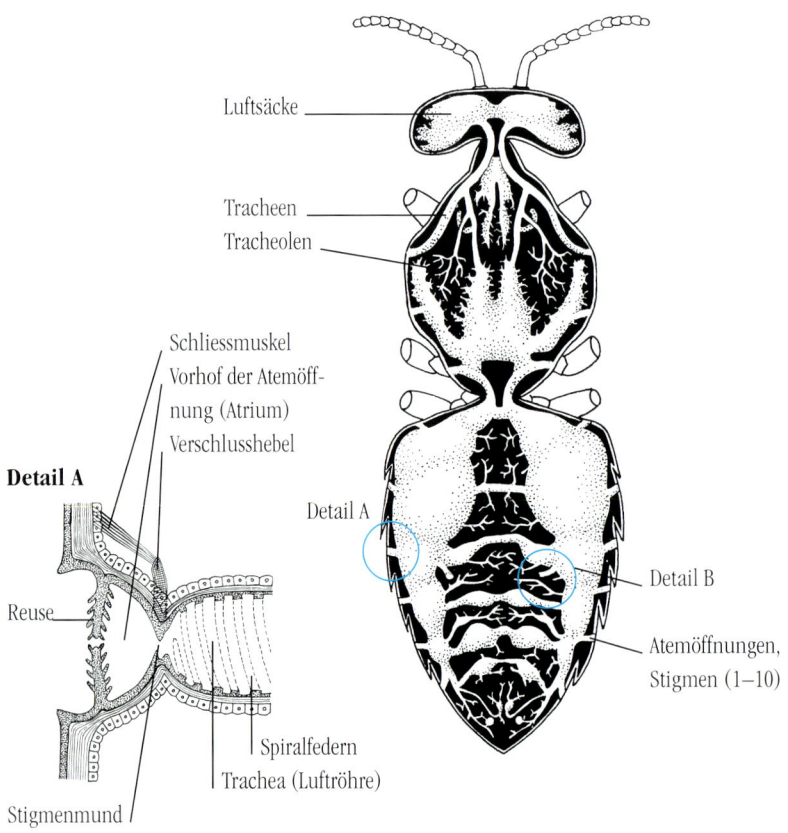

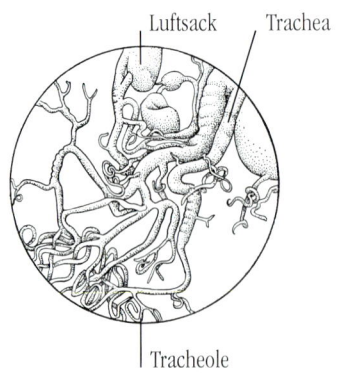

Abb. 28
Tracheensystem im Bienenkörper

Abb. 29 (unten rechts)
Tracheolen

Abb. 30 (unten links)
Atemöffnung (Stigma)
Die Reuse hält Fremdkörper von den Tracheen fern. Der Schliessmuskel reguliert den Gasaustausch.

1.7 Hämolymphe, Herz und Fettkörper

Hämolymphe und Herz

Die Hämolymphe ist das Blut der Insekten. Sie ist farblos und klar. Insekten verfügen über keinen geschlossenen Blutkreislauf. Die Hämolymphe fliesst frei im Körperinnern und versorgt Gewebe und Organe mit Nährstoffen, Ionen und Hormonen. Gleichzeitig transportiert sie die Stoffwechselprodukte ab. Angetrieben wird die Blutzirkulation vom Herzschlauch, oberen und unteren Zwerchfell (Diaphragma) sowie von zusätzlichen Organen in Kopf und Brust. Der Herzschlauch durchzieht den Bienenkörper vom Kopf bis in den Hinterleib, wo er sich zu fünf Kammern ausweitet. Diese liegen über dem oberen Zwerchfell und sind auf verschiedene Hinterleibsegmente verteilt.

Die Hämolymphe gelangt durch Klappventile in die einzelnen Kammern des Herzschlauches. In raschen, wellenförmig fortgesetzten Pulsschlägen wird sie von hinten nach vorn in die Kopfhöhle gepumpt. Von hier umspült sie alle inneren Organe und Gewebe bis ins äusserste Fussglied. Eine dünnwandige Blase an der Stirn unterstützt die Durchblutung der Fühler. Die Hämolymphe wird durch die intensive Saugwirkung der Herzkammern und die rhythmischen Bewegungen des unteren und oberen Zwerchfelles über den engen Hinterleibsstiel zurück in die Hinterleibshöhle geleitet. Dort entziehen die Malpighischen Gefässe die Stoffwechselprodukte aus der Hämolymphe, und der Darm führt ihr wieder Nährstoffe zu.

Abb. 31
Blutkreislauf und Nervensystem
Der Herzschlauch mit fünf Herzkammern öffnet sich im Kopf. Pfeile geben die Flussrichtung der Hämolymphe an.

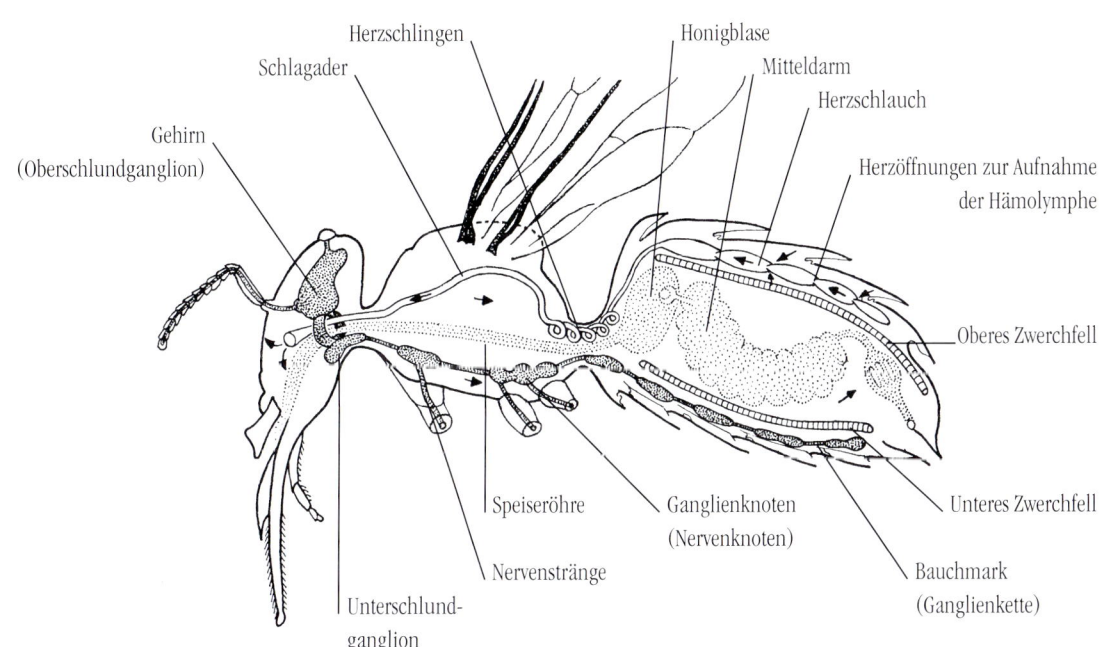

Fettkörper

Der Fettkörper dient als Speicherorgan. In ihm werden Zucker (Glucose) in Form von Glykogen sowie Fette und Proteine als Reserve eingelagert und während Mangelzeiten von den Bienen genutzt. Der Fettkörper ist im Rücken- und Bauchteil des Hinterleibes besonders entfaltet. Er besteht aus bindegewebeartigen Lappen, die von Membranen eingehüllt sind. An der Oberfläche der Lappen werden die Reservestoffe mit der Hämolymphe ausgetauscht.

Während der Larvenzeit ist der Fettkörper am grössten, wird aber bis zum Ende der Puppenzeit abgebaut. Die verbleibenden Fettzellen bewegen sich dann frei in der Hämolymphe, ordnen sich im Körper neu an und bilden schliesslich den Fettkörper der Jungbiene. Ferner unterliegt der Fettkörper saisonalen Schwankungen (→ S. 71).

Im Fettkörper befinden sich auch so genannte Oenozyten. Deren Enzyme steuern die Funktion der Fettkörperzellen und Wachsdrüsen.

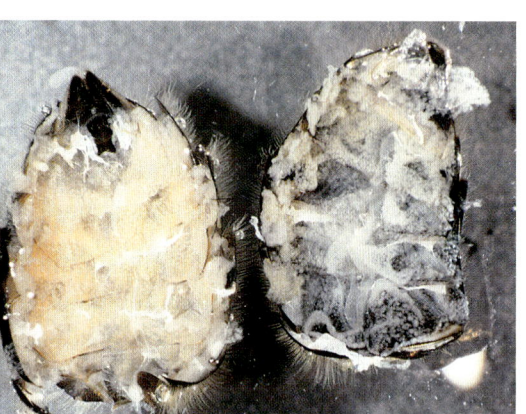

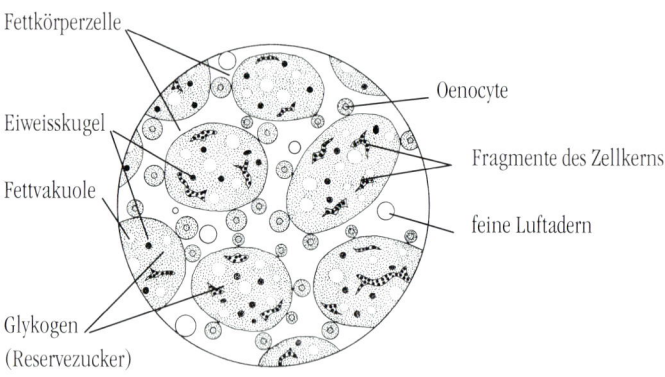

Abb. 32
Fettkörper
Fettkörpergewebe einer Winterbiene (links) und einer Sommerbiene (rechts). Die Abbildung zeigt die rückseitigen Hinterleibshälften mit dem Herzschlauch in der Mitte.

Abb. 33
Fettgewebe mit Fettkörperzellen
Die Fettkörperzellen speichern Fett, Glykogen und Eiweiss.

1.8 Nervensystem

Zentralnervensystem

Das Zentralnervensystem der Bienen ähnelt, wie bei allen Gliedertieren, einer Strickleiter. Auf der Bauchseite verläuft ein doppelter Nervenstrang, der die Nervenknoten verbindet (→ Abb. 31, S. 23). Die Nervenknoten, auch Ganglien genannt, werden zu Beginn der Entwicklung segmental angelegt. Später verschmelzen teilweise aufeinander folgende Ganglien. Im Kopf der erwachsenen Biene beispielsweise vereinigen sich drei Ganglienpaare zum Gehirn (Oberschlundganglion). Auch das Unterschlundganglion unterhalb der Speiseröhre besteht aus drei verschmolzenen Ganglienpaaren. Die Ganglienkette (Bauchmark) zieht sich weiter zu

Anatomie und Physiologie der Honigbiene

den zwei Brust- und fünf Hinterleibsganglien. Von den Ganglien führen Nerven zu den umliegenden Organen und Geweben. Das Gehirn innerviert beispielsweise Augen, Fühler sowie Verdauungsorgane und das Unterschlundganglion sendet Nerven zu den Mundwerkzeugen aus.

Nervenzellen

Nervenzellen (Neuronen) sind spezialisierte Zellen zur Informationsübermittlung. Vom Zellkörper gehen kurze, verästelte Fortsätze aus, die Dendriten. Sie nehmen Informationen auf. Deren Weiterleitung übernehmen die langen Ausläufer der Nervenzellen, die Axone. Informationen pflanzen sich als elektrische Impulse über die Membran der gesamten Nervenzellen fort. An den Nervenenden werden Überträgersubstanzen (Transmitter) freigesetzt, welche die Folgezellen (z. B. Muskeln, Drüsen, Nerven) erregen oder hemmen.

Sensible Nerven führen Reize von einem Rezeptor, beispielsweise einem Sinneshaar am Fühler, zum Zentralnervensystem. Motorische Nerven leiten in entgegengesetzter Richtung vom Zentralnervensystem zu einem Gewebe, beispielsweise der Muskulatur.

1.9 Sinnesorgane

Augen

Bienen sehen mit zwei grossen Facettenaugen (Komplexaugen) seitlich des Kopfes und den drei kleinen Punktaugen (Ocellen) an der Stirn. In der Dämmerung nimmt die Biene mit den Punktaugen die Lichtintensität wahr. Neben der Ergiebigkeit der Futterquelle ist es dieser Dämmerungsgrad, wonach die Biene ihre Sammelaktivität richtet. Auch die Tageslänge wird mit den Punktaugen registriert. So kann sich das Bienenvolk saisongemäss entwickeln.

Die Facettenaugen bestehen aus Tausenden dicht aneinander liegenden Einzelaugen, den Ommatidien. Diese verlaufen nach innen keilförmig und werden auch Augenkeile genannt. Ohne den Kopf zu drehen, hat die Biene mit ihren beiden Facettenaugen ein grosses Blickfeld, was zur Orientierung im Fluge beiträgt. Gegenüber einem Linsenauge, wie dem des Menschen, ist die Sehschärfe des Facettenauges jedoch vermindert. Diese hängt von der Anzahl Ommatidien ab. Ausgestattet mit bis zu 8000 Ommatidien pro

Abb. 34
Punktaugen
Mit den Ocellen (Punktaugen) können die Bienen Lichtstärken wahrnehmen. Der Bienenkopf ist mit feinen Federhaaren besetzt.

Anatomie und Physiologie der Honigbiene

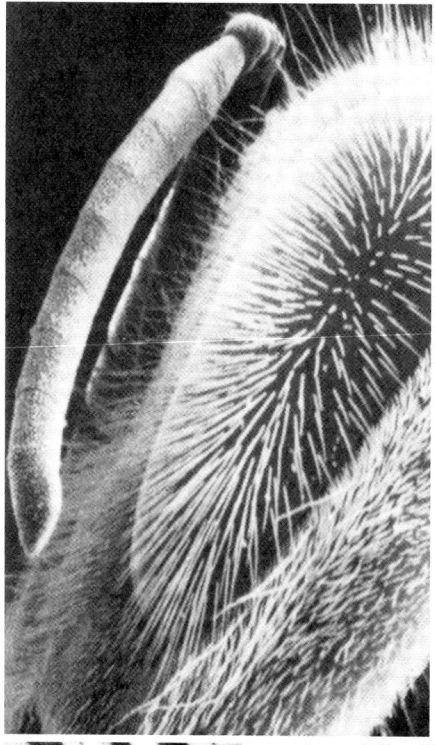

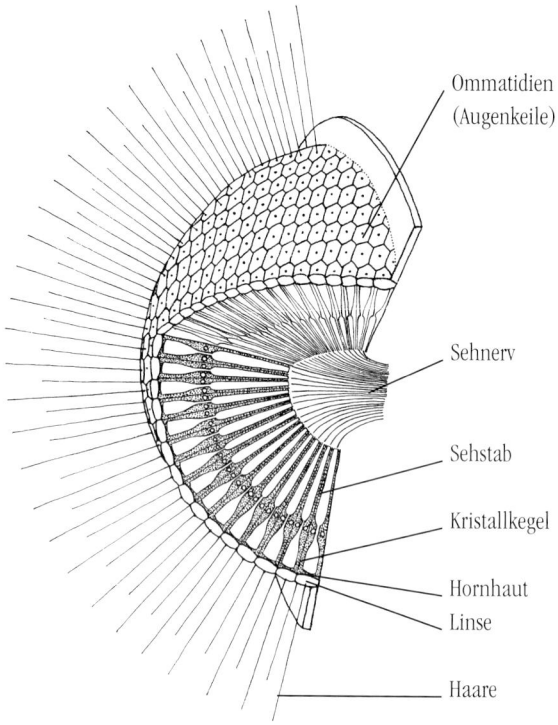

Abb. 35
Facettenauge der Biene
Oben links: Kopfpartie mit Fühlergeissel und Facettenauge.
Oben rechts: Facettenauge mit Ommatidien und Haaren. Arbeiterinnen verfügen über rund 5000 Ommatidien, Königinnen haben rund 4000 und Drohnen rund 8000.
Links: Elektronenmikroskopische Aufnahme von Ommatidien und Haaren.

Facettenauge, können Drohnen auf den Drohnensammelplätzen rasch fliegende Königinnen aufspüren (→ S. 43).
Das für die Bienen sichtbare Farbspektrum ist in den UV-Bereich verschoben. Es reicht von 300 nm (Ultraviolett) bis 650 nm (Orangerot). Rotes Licht aber vermögen Bienen nicht zu sehen. Neben Farben nehmen Bienen auch Formen sowie polarisiertes Licht wahr (→ S. 76, 79).

Geruchs- und Geschmacksorgane
Die Geruchsorgane der Bienen liegen auf den Fühlern (→ Abb. 8, S. 11). Die Geisselglieder der Fühler sind dicht mit verschiedenen Sinnesorganen besetzt, deren Reize von Nervenfasern aufgenommen und an das Zentralnervensystem weitergeleitet werden (→ S. 24).
Dem Geruchssinn dienen Haarsensillen und Riechkegel, die aus Poren der Geisselglieder

ragen, oder Grubenkegel, die in der Cuticula versenkt sind, sowie mit 3 bis 35 Sinneszellen bestückte Porenplatten. Die Fühler der Arbeiterin sind gegenüber jenen der Drohne mit mehr Haarsensillen, Riechkegeln und Grubenkegeln ausgestattet. Drohnen aber verfügen pro Fühler über 15 000 Porenplatten, während Arbeiterinnen 3000 und Königinnen 1500 aufweisen. Die zusätzlichen Porenplatten erleichtern den Drohnen die Jungköniginnen aufzufinden, denn die Porenplatten reagieren auf die Königinnensubstanz und Pheromone der Nassaoffdrüse (Sexuallockstoffe).

Zwischen den Porenplatten erheben sich Haarsensillen. Da Haarsensillen nicht nur riechen, sondern gleichzeitig auch tasten, wird durch die Anordnung der Sinnesorgane die räumliche Wahrnehmung verstärkt. Landet eine Biene auf einer Blüte, tastet sie mit ihren Fühlern Staubgefässe und Nektardrüsen ab und erfasst gleichzeitig den Blütenduft. Die Biene kann sich damit ein Bild über die Verteilung der Düfte verschaffen. Den Wachsgeruch einer sechseckigen Wabenzelle und eines Wachskügelchens beispielsweise kann sie unterscheiden.

Die Grubenkegel weisen neben den Sinneszellen für chemische Reize auch solche für physikalisch-chemische auf. Sie registrieren den Kohlendioxidgehalt der Luft, die relative Luftfeuchtigkeit und die Temperatur. Schwankt der Kohlendioxidgehalt um 0,5%, die relative Luftfeuchtigkeit um 5% oder die Temperatur um 0,5 °C, so nehmen das die Bienen wahr. Dadurch können sie ein recht konstantes Nestklima aufrechterhalten (→ S. 54).

Die Geschmacksorgane der Biene liegen um die Oberkieferdrüsen sowie auf den Vorderbeinen und Fühlern. Die Geschmacksnerven der Fühler reagierten in Versuchen bereits auf 1,4%ige Zuckerlösung, jene der Mundwerkzeuge erst bei Zuckerkonzentrationen von 2 bis 4%. Mit den Fühlern erkennt die Biene Nektarquellen und entscheidet anschliessend mit den Mundorganen über deren Qualität.

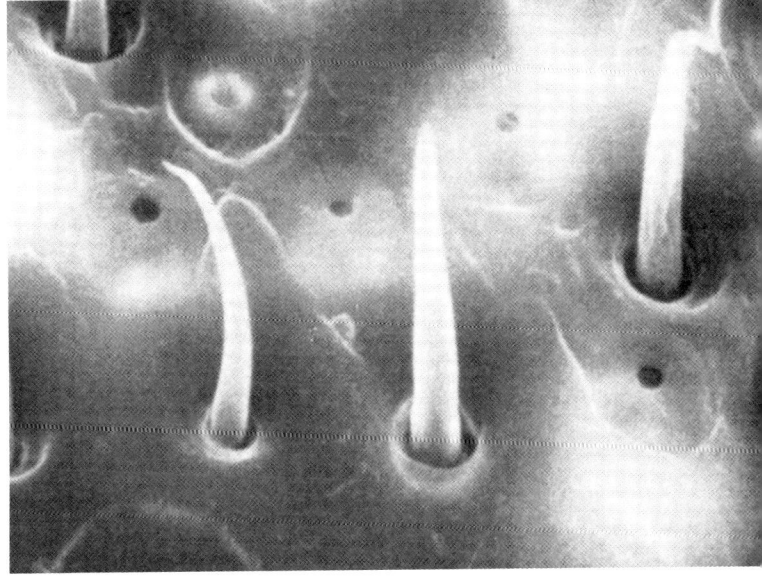

Abb. 36
Geruchsorgane
Haarsensillen und Riechkegel auf den Fühlern, elektronenmikroskopische Aufnahme (→ Abb. 8, S. 11).

Gehör- und Schwereorgane

Der Hörsinn der Bienen umfasst sowohl Sinneszellen, die Vibrationen fester Körper wahrnehmen, als auch solche, die Tonschwingungen der Luft registrieren. Auf den Waben pflanzen sich Schwingungen ausgezeichnet fort. Die Krallen der letzten Fussglieder nehmen diese auf und leiten sie weiter an das Subgenualorgan, das Sinneszentrum in den Schienen. Dieses reagiert hoch empfindlich auf geringe Schwingungen. Luftschwingungen registrieren die Johnston'schen Organe in den Wendegliedern der Fühler.

Zur Orientierung im Raum verfügt die Biene über Sinnesorgane der Schwereempfindung. Diese liegen zwischen Kopf und Brust sowie zwischen Brust und Hinterleib. Jede Bewegung der Körperteile wird von Sinnesborsten registriert. Da die Biene der Schwerkraft unterliegt, kann sie ihre eigene Körperlage sowie die Stellung der Waben im Raum mit ihrem Schwereorgan feststellen (→ S. 48).

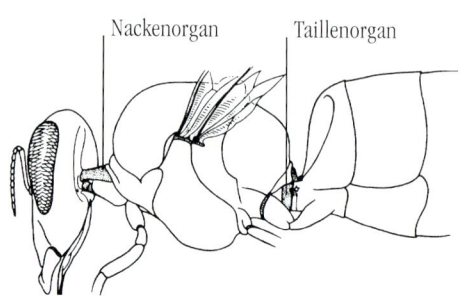

Abb. 37
Schwereorgane der Biene
Feine Borsten an Nacken und Taille registrieren jede Gewichtsverlagerung. So nimmt die Biene ihre Lage im Raum wahr.

1.10 Drüsen

Drüsen bestehen aus spezialisierten Zellen, die Sekrete produzieren und absondern (sezernieren). Ihre Entwicklung wird durch den Ernährungszustand von Larve und Jungbiene beeinflusst. Mangelt es an Kohlenhydraten, Eiweissen, Vitaminen oder Spurenelementen, so kann sich das Drüsengewebe zurückbilden.

Wir unterscheiden zwischen exokrinen und endokrinen Drüsen. Exokrine Drüsen sezernieren über Kanälchen an Oberflächen, z. B. auf die Cuticula. Auch Drüsen, die ihre Sekrete in den Hohlraum des Darmkanals entlassen, gehören dieser Gruppe an. Einige der exokrinen Drüsensekrete wirken als Pheromone. Pheromone sind Botenstoffe zwischen Individuen einer Art.

Endokrine Drüsen hingegen geben ihre Sekrete an die Hämolymphe ab. Ihre Drüsensekrete werden auch als Hormone bezeichnet. Sie können in kleinsten Mengen grosse Wirkung erzielen. Diese tritt erst auf, nachdem das Hormon durch die Hämolymphe zum Wirkungsort transportiert wurde. Demzufolge sind hormonelle Reize langsamer als Nervenreize, halten aber länger an.

Anatomie und Physiologie der Honigbiene

Abb. 38
Drüsen der Honigbiene

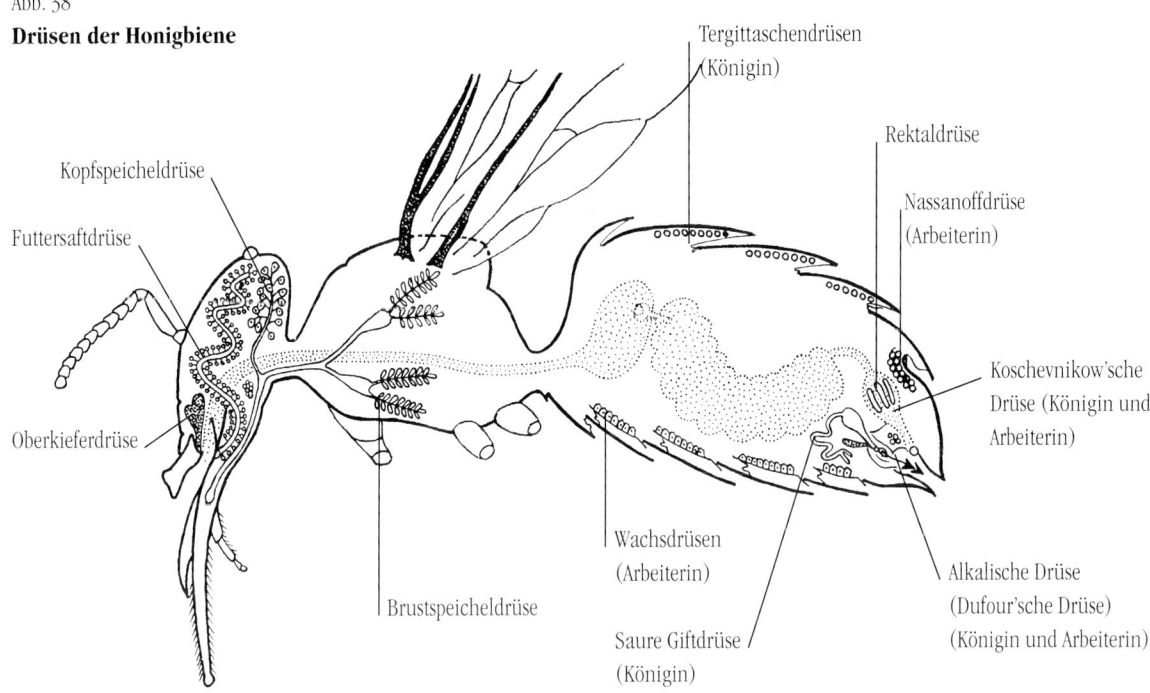

Exokrine Drüsen

Die **Oberkieferdrüsen** (Mandibeldrüsen) sind paarig ausgebildet. Sie liegen bei allen drei Wesen zwischen den Muskeln der Oberlippen und münden an deren Basis. Bei der Königin sind die Drüsenlappen grösser als bei den Arbeiterinnen. Sie werden von gut entfaltetem Fettkörpergewebe umgeben, das sie möglicherweise bei der Produktion der Königinnensubstanz (Pheromone I und II) unterstützt. Diese spielt eine wichtige Rolle für das soziale Gefüge des Bienenvolkes (→ S. 42, 60). Das ölige Sekret der Oberkieferdrüse der Königin ist leicht flüchtig und für uns geruchlos. Jenes der Arbeiterin hingegen riecht nach bitteren Mandeln und wirkt auch als Lösungsmittel bei der Verarbeitung von Wachs, Pollen und Propolis. Die Drüsen sind bereits zwei Tage vor dem Schlüpfen aktiv. Ihr Sekret löst den Zelldeckel teilweise auf.

Die **Futtersaftdrüsen** (Hypopharynxdrüse) bilden im Kopf zwei Äste vor und hinter dem Gehirn. Diese bestehen aus je rund 500 Drüsenelementen, die in Form und Anordnung an Johannisbeeren erinnern. Ihre Sekrete werden direkt in den Mund ausgeschieden. Die Futtersaftdrüsen sind nur bei der Arbeiterin entwickelt und besonders während der Ammenzeit (6.–12. Tag) stark entfaltet. Dann liefern sie den hochwertigen Futtersaft bestehend aus Vitaminen, Eiweissen, Fetten und Mineralstoffen. Dieser wird zusammen mit dem Sekret der Mandibeldrüsen der jungen Brut und den Königinnen verfüttert (→ S. 36). Bei älteren Bienen bilden sich die Drüsen zurück, sezernieren aber verschiedene Enzyme wie die Invertase, Diastase, Aerohydrase und Glucoseoxydase. Diese wandeln Nektar zu Honig um. Wenn es dem Volk an Ammenbienen fehlt, können ältere Bienen die Futtersaftproduktion wieder aufnehmen.

Ein paariger Zweig der **Speicheldrüsen** (Labialdrüsen) befindet sich im Kopf hinter dem Gehirn und ein zweiter paariger Zweig

Anatomie und Physiologie der Honigbiene

in der vorderen Brust beiderseits der Speiseröhre. Alle Zweige münden gemeinsam an der Basis der Unterlippe. Speicheldrüsen sind bei allen drei Bienenwesen vorhanden. Ihre Aufgabe bei der erwachsenen Königin und Drohne ist jedoch nicht bekannt. Die Kopfspeicheldrüsen der Arbeiterin scheiden ein öliges Sekret aus, das beim Wabenbau mit den Wachsplättchen vermengt wird. Die Drüsen sind vom 12.–28. Tag am aktivsten. Die Brustspeicheldrüse gibt eine wässrige, klare Flüssigkeit ab, die Zucker und kandierten Honig löst. Mit ihr bespeicheln die Bienen die Brutzellen. Hier liegt die Hauptsekretion zwischen dem achten und zwölften Tag. Bei älteren Sammel- und Winterbienen sind die Drüsen inaktiv. Bei den Larven geben die Speicheldrüsen das Spinnsekret ab, aus dem der Kokon gesponnen wird.

Die **Fussdrüsen** (Anhardt'sche Drüsen, Tarsaldrüsen) liegen im letzten Fussglied und scheiden ein wachshaltiges Sekret aus. Dieses erhöht das Haftvermögen des Haftlappens. Ausserdem dient es als Pheromon und markiert beispielsweise den Nesteingang (Fussabdruck-Pheromon, → S. 60).

Die **Rektaldrüsen** (Rektalpapillen) liegen als sechs wurstförmige Gebilde in der Kotblase. Sie sezernieren die Fäulnis hemmende Katalase. Dieses Sekret ist besonders für die Winterbienen von Bedeutung. Gleichzeitig beteiligen sich die Rektaldrüsen am Wasser- und Mineralstoffhaushalt sowie der Fettsynthese.

Die drei Bienenwesen verfügen über unterschiedliche Duftdrüsen. Beim Sterzeln stellen die Arbeiterinnen die beiden letzten Rückenschuppen auf und legen dabei die **Nassanoffdrüse** frei. Ihr Sekret, ein nach Melisse duftendes Pheromon, wird durch Fächeln verteilt. Es lockt die Bienen an und fördert die Traubenbildung. Auch als Duftmarkierung leistet es wertvolle Dienste, ist aber nicht volksspezifisch. Auf den so genannten Duftstrassen nimmt die Duftkonzentration in Richtung des Futterplatzes zu und weist den Bienen den Weg zur Futterquelle. Dabei orientieren sich die Bienen nicht nur nach den verschiedenen Bienengerüchen, sondern auch nach Pflanzendüften (→ S. 78)

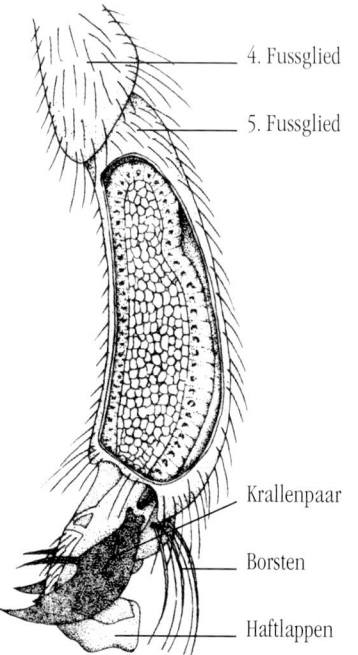

- 4. Fussglied
- 5. Fussglied
- Krallenpaar
- Borsten
- Haftlappen

Abb. 39
Anhardt'sche Drüse
Sie befindet sich im fünften Fussglied und sondert das Fussdruck-Pheromon ab. (→ S. 16)

Abb. 40
Sterzeln und alarmieren
Bei hoch gestelltem Hinterleib wird mit Hilfe des Flügelfächelns der Duft aus der Nassanoff'schen Drüse oder aus der Stachelkammer verbreitet.

Abb. 41
Duftmarkierung am Flugloch
Sterzelnde Bienen lassen den Stockgeruch aus den Nassanoffdrüsen verströmen.

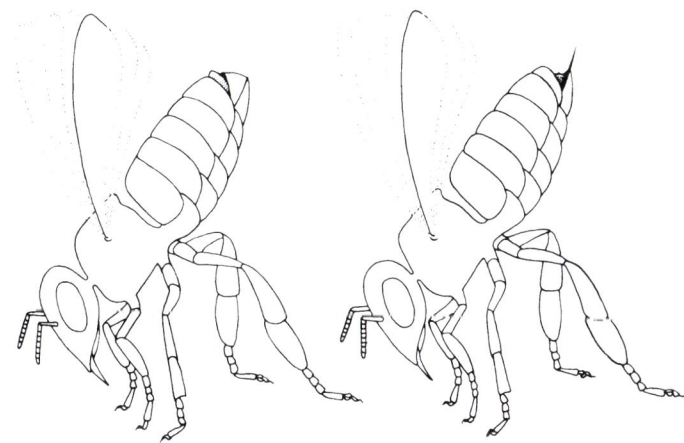

Jedes Bienenvolk hat seinen spezifischen Nestgeruch und kann die eigenen von den fremden Bienen unterscheiden. Der Nestgeruch setzt sich aus verschiedenen Komponenten zusammen, die im Verlaufe der Zeit variieren: Aus den Düften verschiedener Drüsensekrete der drei Bienenwesen, den Düften des Wabenbaues, des Nektars, der Brutstadien, des Futtersaftes sowie der Propolis. Königinnen und Drohnen verfügen über keine Nassanoffdrüsen.

Die Königin verfügt hingegen über **Tergittaschendrüsen**. Diese befinden sich beim vierten bis sechsten Abdominaltergit (Hinterleibrückenschuppe) und sondern zeitlebens Drüsensekrete ab. Die Drüsen sind jedoch in der zweiten Woche nach dem Schlüpfen am stärksten entwickelt. In der Paarungszeit verströmen sie einen aromatischen Duft, der den Geschlechtstrieb der Drohnen anregen soll.

Die **Koschevnikow'sche Drüse** (Stachelkammerdrüse) ist eine weitere Duftdrüse der Königin. Sie besteht aus einem Drüsenfeld am Stachelapparat, das ebenfalls ein Pheromon abgibt. Diesem kommt während

Anatomie und Physiologie der Honigbiene

der Schwarmphase besondere Bedeutung zu. Gemeinsam mit der Königinnensubstanz lockt es die Arbeiterinnen an. Auch die Drohnen auf den Drohnensammelplätzen richten sich nach dessen Geruch. (→ S. 44) Diese Drüse wurde auch bei der Arbeiterin nachgewiesen; dort ist jedoch ihre Funktion nicht geklärt. Mit dem Stachelapparat der Königin und Arbeiterin sind drei weitere Drüsen verbunden (saure Giftdrüse, alkalische Drüse oder Dufour'sche Drüse).

Die **saure Giftdrüse** ist die grösste Drüse der Arbeiterin. Sie ist ein rund 20 mm langer, gegabelter Schlauch, der sich zur Giftblase erweitert. Die Giftdrüse der Königin hat auffallend lange Gabeläste und misst 40–50 mm. Sie degeneriert im Verlaufe des ersten Lebensjahres. Die Giftdrüse sezerniert ein saures Sekret, das Bienengift. Dieses setzt sich aus über 50 bekannten Substanzen zusammen (→ Band „Bienenprodukte", S. 82). Die Giftproduktion variiert nach Jahreszeit, dem Alter der Biene und der Pollenversorgung. Bei Jungbienen setzt die Giftproduktion erst mit der Aufnahme von Pollen ein. Auch die Bienenrasse, die Umwelt und die Betriebsweise beeinflussen sie.

Die **alkalische Drüse** oder Dufour'sche Drüse ist etwas kürzer als die saure Giftdrüse. Sie mündet am Stachelschaft und gibt ein alkalisches Sekret ab, das vermutlich als Gleitmittel der beweglichen Stachelelemente dient.

Die Arbeiterin besitzt acht paarige **Wachsdrüsen** auf den vier Bauchschuppen zwischen dem dritten und sechsten Segment des Hinterleibs. Sie münden auf unbehaarten, hellgelben Flächen, die spiegelglatt erscheinen und auch als Wachsspiegel bezeichnet werden. Das aus den Drüsen sezernierte flüssige Wachs erhärtet an der Oberfläche zu feinen Wachsplättchen. Diese sind geschichtet und länglichoval bis herzförmig. Die Wachsdrüsen sind gewöhnlich zwischen dem 13. und 18. Tag nach dem Schlüpfen besonders stark entwickelt. Nach dem Schwärmen können aber auch die Wachsdrüsen älterer Bienen reaktiviert werden.

Abb. 42
Wachsplättchen
Links: Aus den Zwischenringtaschen der Baubiene werden feinste, durchschimmernd weisse Wachsplättchen ausgeschieden.
Rechts: Wachsplättchen, die Baubienen fallen gelassen haben, finden sich von Februar bis Oktober auf den gittergeschützten Unterlagen oder Schiebeböden.

Abb. 43
Entwicklung der Wachsdrüsen bei verschieden alten Bienen

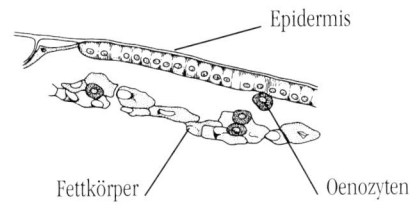

Wachsdrüsen einer frisch geschlüpften Biene

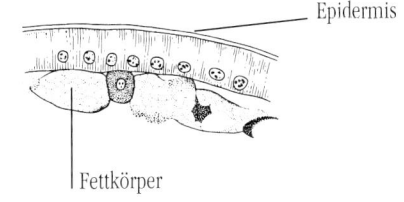

Entwicklung der Wachsdrüsen einer Jungbiene

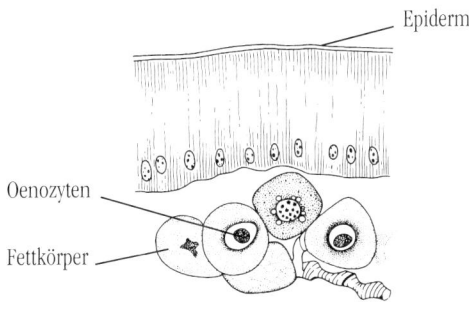

Volle Entfaltung der Wachsdrüsen mit Sekretion von Wachsplättchen

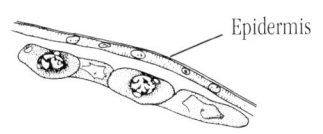

Zurückgebildete Wachsdrüsen einer alten Sammelbiene

Die Baubiene spiesst das Wachsplättchen ruckartig an den Fersenbürstchen der Hinterbeine auf und führt es zum Oberkiefer. Dort wird es mit Sekreten der Speichel- und Mandibeldrüsen versehen und mit andern Wachsplättchen zusammengeklebt (→ S. 52).

Die **Geschlechtsdrüsen** (Keimdrüsen) liegen im Hinterleib und dienen der Fortpflanzung (→ S. 45 f.). Die kugelförmige Spermatheke (Samenblase) der Königin dient als Behälter der Samen und ist von einer Y-förmigen Drüse, der Spermathekendrüse, umgeben. Diese reguliert den Flüssigkeitsdruck in der Spermatheke und reaktiviert die Spermien, die inaktiv sind, solange sie nicht gebraucht werden.

Bei der Drohne geben paarige **Schleimdrüsen** eine Schleimmasse ab, die nach der Begattung in den Scheidenvorhof der Königin gepresst wird. In Kontakt mit Luft erstarrt sie zu einem Pfropfen und bildet zusammen mit den Chitinplatten des Zwiebelstücks das Begattungszeichen (→ S. 47).

Endokrine Drüsen

Die endokrinen Drüsen stehen in Wechselbeziehungen zum Zentralnervensystem. Sie steuern unter anderem Wachstum, Häutung und Metamorphose, Stoffwechsel, Fortpflanzung sowie das Verhalten der Bienen. Zu den endokrinen Drüsen zählen: **Corpora cardiaca**, **Corpora allata**, Ventral- und Prothorakaldrüsen, sowie die Pericardialdrüsen.

Die paarigen Corpora cardiaca und Corpora allata sind durch Nervenfortsätze mit dem neurosekretorischen Zentrum des Gehirns verbunden und bilden ein Netzwerk, das hinter dem Gehirn zwischen Herzschlauch und Speiseröhre liegt. Die Corpora cardiaca dient primär als Speicherorgan für die Neurosekrete des Gehirns, produziert aber auch eigene Sekrete. Sie ist bei der Königin stärker ausgebildet als bei der Arbeiterin. Auch die Corpora allata ist Speicher- und Sekretionsorgan und spielt bei der Ausbildung der drei Wesen im Bienenvolk eine Rolle: Bei der zwei Tage alten Arbeiterinnenlarve ist sie bereits aktiv, bei Königinnenlarven erst ab dem dritten Tag. Die Sekretion von Juvenilhormon ist während der Larvalentwicklung hoch und verhindert die zu rasche Ausbildung zum erwachsenen Insekt. Gegenspieler des Juvenilhormons ist eine Hormongruppe, welche die Häutung vorantreibt (Häutungshormone). Auch bei Sommerbienen ist der Juvenilhormongehalt hoch, bei Winterbienen niedrig. Ebenso steuert es die Lebensdauer der Arbeiterinnen (→ S. 71). Die Sekrete der Corpora allata aktivieren ausserdem die Dotterbildung und Eireifung bei der Königin. Diese Drüse entwickelt sich nur bei guter Pollenversorgung. Bei reiner Zuckerwasserfütterung verkümmert sie.

Hinter der Corpora allata im unteren Kopfteil liegen die **Ventraldrüsen**. Sie steuern die Häutung, bilden sich aber vor dem Schlüpfen der Jungbiene zurück. Auch die **Prothorakaldrüsen** sind an der Häutung beteiligt. Sie liegen bei den ersten Atemlöchern im vorderen Brustteil und synthetisieren das Häutungshormon Ecdyson.

Die **Pericardialdrüsen** im vorderen Teil des Herzschlauches aktivieren das Herz und die Muskeln der Malpighischen Gefässe.

Neurosekretorische Zellen

Die neurosekretorischen Zellen sind auf das ganze Zentralnervensystem und die endokrinen Drüsen verteilt. Sie geben aufgrund nervöser Impulse Neurohormone ab. Im Gehirn der Bienen wurden rund 120 neurosekretorische Zellen nachgewiesen und im Bauchmark bis zu acht Zelltypen, die sich an der Oberfläche der Nervenknoten befinden. Bei der Arbeiterin setzt die Neurosekretion ab dem fünften Tag mit Beginn der Brutpflege ein und nimmt stetig zu. Ab dem 25. Tag aber bilden sich die neurosekretorischen Zellen zurück. Bei der Königin erreicht die Neurosekretion vor dem Begattungsflug um den siebten Tag ihr Maximum. Verzögert sich der Ausflug durch Schlechtwetter, verlängert sich auch die Sekretion. Mit der Entwicklung der Eierstöcke bilden sich die neurosekretorischen Zellen zurück. Bei den Drohnen ist die Neurosekretion während der Begattungszeit am grössten.

2 Bienenvolk – Königin, Arbeiterin und Drohne

Nicole Duvoisin
Berchtold Lehnherr

Königin, Arbeiterinnen und Drohnen sind miteinander verwandt. Die Arbeiterinnen sind die Töchter der Königin, die Drohnen deren Söhne. Die Verwandtschaftsverhältnisse im Bienenvolk sind aber kompliziert, weil nur Arbeiterinnen und Königinnen aus befruchteten, Drohnen aber aus unbefruchteten Eiern entstehen. Zudem werden die Königinnen durch mehrere Drohnen begattet. Ein Bienenvolk kann mit einer Grossfamilie verglichen werden. Neben der Königin leben im Sommer etwa 10 000 bis 30 000 Arbeiterinnen und 100 bis 1000 Drohnen im Volk.

Abb. 44
Wild lebendes Bienenvolk
Bienenvölker nisten im Verborgenen. Dieses Volk hat seinen Wabenbau im Hohlraum eines Fensters errichtet.

Abb. 45
Drei Wesen im Bienenvolk
Die Königin hat einen langen Hinterleib. Die Arbeiterinnen sind zierlich und klein. Bei den stachellosen Drohnen fallen die grossen Facettenaugen auf.

2 Bienenvolk – Königin, Arbeiterin und Drohne

2.1 Vom Ei zur Biene

Wesentlich für die Differenzierung in die Kasten (Kastendetermination) ist die Ernährung der Larven. Eine Arbeiterinnenlarve wird während 3½ Tagen mit Futtersaft versorgt und danach mit Honig und Pollen. Königinnenlarven entwickeln sich in speziellen Königinnenzellen (→ S. 61). Sie werden nicht nur viel öfter gefüttert als Arbeiterinnenlarven, sondern erhalten einen speziellen Königinnenfuttersaft, den Gelée Royale. **Gelée Royale** setzt sich zu gleichen Teilen aus dem wasserklaren Futtersaftdrüsensekret und dem milchig weissen Sekret der Mandibeldrüsen (Oberkieferdrüsen) zusammen. Die Königinnenlarven werden bis zum Ende ihrer Larvenzeit damit gefüttert.

Im Vergleich zu Gelée Royal enthält der Futtersaft für Arbeiterinnen- und Drohnenlarven weniger milchiges Mandibeldrüsensekret und weist einen geringeren Pantothensäure- und Zuckergehalt auf (→ Band „Bienenprodukte" S. 74).

Drohnen (Einzahl: der Drohn oder die Drohne) sind männliche Geschlechtstiere und entstehen aus unbefruchteten Eiern. Sie werden wie die Arbeiterinnenlarven ab dem 3. Tag mit Pollen und Nektar ernährt.

Tab. 1

Entwicklung von Königin, Arbeiterin und Drohne

Alter in Tagen	Königin	Häutungen		Alter in Tagen	Arbeiterin	Häutungen		Alter in Tagen	Drohne	Häutungen	
1	Ei			1	Ei			1	Ei		
2				2				2			
3		schlüpfen		3		schlüpfen		3		schlüpfen	
4	Rundmade	1. Häutung		4	Rundmade	1. Häutung	offene Brut	4	Rundmade	1. Häutung	offene Brut
5		2. Häutung	offene Weiselzelle	5		2. Häutung		5		2. Häutung	
6		3. Häutung		6		3. Häutung		6		3. Häutung	
7		4. Häutung		7		4. Häutung		7		4. Häutung	
8	Streckmade	(verdeckeln)		8	Streckmade	(verdeckeln)		8		(verdeckeln)	
9				9				9			
10	Vorpuppe			10				10	Streckmade		
11		5. Häutung		11	Vorpuppe			11			
12	Puppe		verdeckelte Weiselzelle	12				12			
13	(Nymphe)			13				13	Vorpuppe		
14				14				14		5. Häutung	
15		6. Häutung		15		5. Häutung	verdeckelte Brut	15			verdeckelte Brut
16	*Königin*	(schlüpfen)		16	Puppe			16			
				17	(Nymphe)			17	Puppe		
				18				18	(Nymphe)		
				19				19			
				20		6. Häutung		20			
				21	*Arbeiterin*	(schlüpfen)		21			
								22			
								23		6. Häutung	
								24	*Drohne*	(schlüpfen)	

Alle drei Bienenwesen durchlaufen vier **Entwicklungsstadien**: Ei (Embryo), Larve, Puppe, Imago (adultes Tier). Im Puppenstadium vollzieht sich die Metamorphose mit tief greifenden Umbauvorgängen. Aus dem Larvenkörper entsteht die fertig ausgebildete Biene. Bei der Königin dauert die Entwicklung 16 Tage, bei der Arbeiterin 21 Tage und bei der Drohne 24 Tage.

Die Königin heftet das Ei als stehendes Stiftchen an den Boden der Brutzelle (→ S. 43). Am 2. Tag neigt sich das Ei um etwa 45° und am 3. Tag liegt es fast am Boden. Der Embryo wächst drei Tage lang im Ei und verbraucht dabei den proteinreichen Dotter. Dann schlüpft eine 0,3 mg schwere Made aus dem Ei. Sie wird von Ammenbienen mit Futtersaft, Honig und Pollen gefüttert.

Abb. 46

Entwicklungsphasen

Die Entwicklung vom Ei zur Biene umfasst im Wesentlichen zwei Phasen:
1. Wachstum der aus dem Ei geschlüpften Larve
2. Umwandlung (Metamorphose) zum Imago

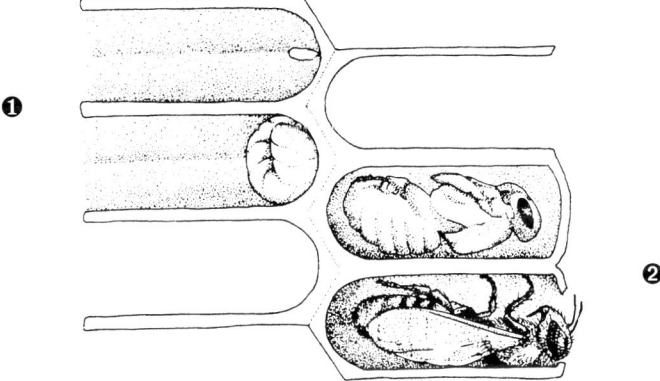

Abb. 47

Entwicklung der Bienenlarve im Ei

Ein reifes Bienenei ist 1,3 bis 1,8 mm lang, leicht gebogen und wiegt 0,12 bis 0,15 mg. Das Ei wird von einer dünnen Membran, der Eischale und Dotterhaut umschlossen und enthält den Eikern mit dem Erbgut (DNA) sowie den fettreichen Dotter, die Nahrung des zukünftigen Embryos. Am Vorderende der Eischale liegt die Eintrittspforte (Mikropyle) für die männliche Keimzelle, das Spermium.

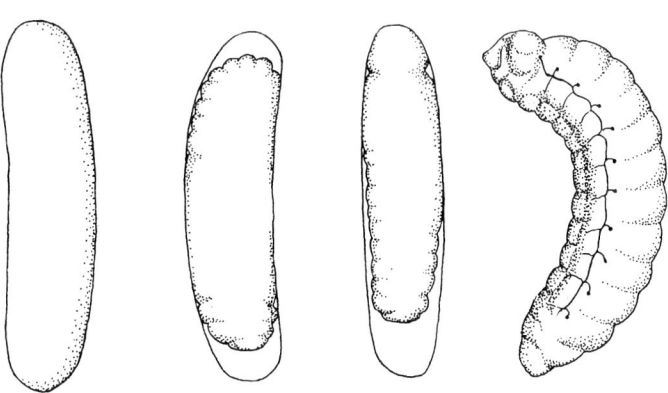

2 Bienenvolk – Königin, Arbeiterin und Drohne

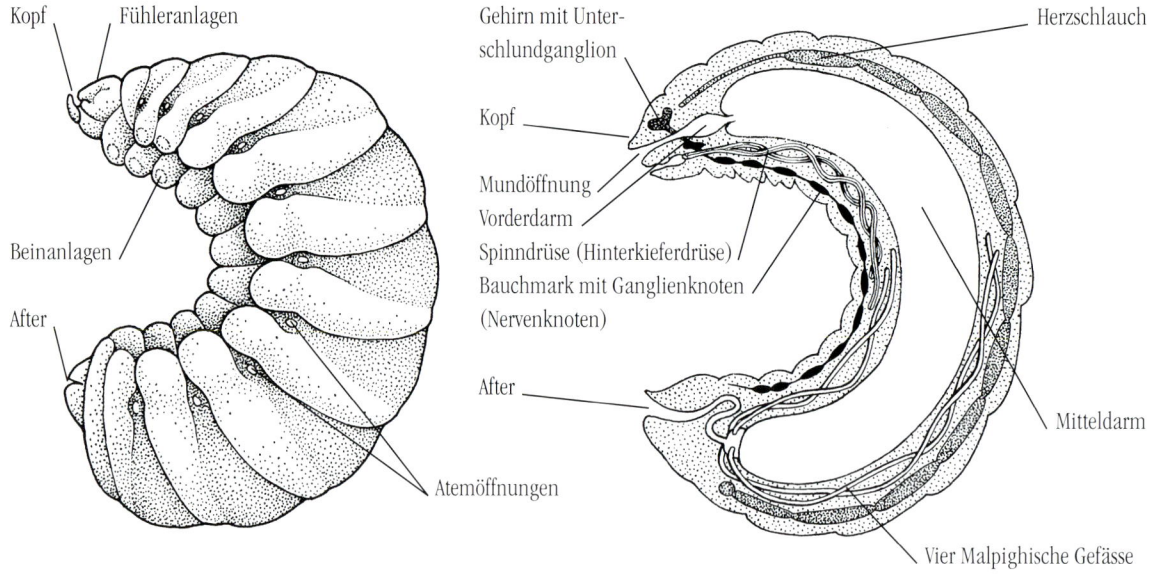

Abb. 48
Bienenlarve
Sie ist eine bein- und flügellose Made. Ein kleiner Kopf hebt sich etwas vom sackartigen Körper ab, der aus 13 Segmenten (Leibringen) besteht.
Rechts: Längsschnitt durch Bienenlarve.

Der Larvenkopf weist Ansätze für Antennen und Facettenaugen auf. Die Mundwerkzeuge bestehen aus je einem Paar kleiner Mandibeln (Oberkiefer) und Maxillen (Unterkiefer). Zwischen den Maxillen liegt die Spinndrüse, mit deren Sekret die Larve einen Kokon spinnt, um sich darin zu verpuppen. Aus der Spinndrüse entsteht später die Speicheldrüse der erwachsenen Biene.
Die Larve konzentriert sich auf das Fressen der von den Ammenbienen gereichten Nahrung und hat deshalb ein enormes Verdauungssystem. In nur sechs Tagen nimmt das Gewicht der Larve um mehr als das 200fache zu. Das gesamte Wachstum erfolgt ausschliesslich im Larvenstadium. Da die Aussenhaut der Larve nicht mitwächst, muss sich die Larve viermal häuten.

Der Mitteldarm und die Malpighischen Gefässe bleiben bis zum Ende der Fütterung verschlossen und schwellen durch die angesammelten Ausscheidungsprodukte stark an. Die offene Wabenzelle wird so jedoch sauber gehalten.
Die Bienen verschliessen die Brutzelle mit einem feinen, luftdurchlässigen Wachsdeckel (Verdeckelung).
Mit dem Wachstum der Larve wird der Platz am Zellboden zunehmend enger. Die Made streckt sich langsam mit dem Mund zur Zellöffnung hin, die Rundmade wird zur Streckmade. In ihrem letzten Larvenstadium beginnt sie mit dem Sekret ihrer Spinndrüsen einen Kokon zu spinnen.

Bienenvolk – Königin, Arbeiterin und Drohne

Abb. 49
Metamorphose
Von oben nach unten: Streckmade im Kokon (Vorpuppe), drei sich langsam ausfärbende Puppen. Merkmale der adulten Biene sind bereits erkennbar. Die Flügel sind aber noch kaum ausgebildet.

Erst jetzt entleert sie ihren Darm und die Malpighischen Gefässe. Die Ausscheidungen werden in den Kokon eingewoben.
Die Streckmade wird in ihrer Endphase auch als Vorpuppe bezeichnet. Gene werden aktiviert, die bisher inaktiv geblieben sind, und Zellen beginnen sich rasch zu teilen. Allmählich nimmt die Larve die Gestalt einer adulten Biene an. Die fünfte Häutung führt zur Puppe.
Die Puppe gleicht äusserlich bereits einer adulten Biene mit Kopf, Brust und Hinterleib, Augen, Antennen, Mundwerkzeug. Jetzt wandeln sich ihre Muskeln und inneren Organe in die adulte Form.
Nach Abschluss der Metamorphose erfolgt die sechste und letzte Häutung. Die neu gebildete Imago schlüpft aus der Puppenhaut. Die noch in den Scheiden steckenden Flügel entfalten sich, sobald Hämolymphe hineingepumpt wird. Schliesslich nagt sich die junge Biene mit Hilfe ihrer Mandibeln durch den Wachsdeckel ihrer Zelle, der durch ihr Mandibeldrüsensekret aufgeweicht wird.

Abb. 50
Frisch geschlüpfte Jungbiene
Die frisch geschlüpfte Biene ist hellgrau und weich. Durch Einlagerung von Sklerotin härtet die Cuticula aus. Gleichzeitig erhält sie ihre typische Farbung.

2 Bienenvolk – Königin, Arbeiterin und Drohne

Häutungen und Metamorphose werden durch Hormone gesteuert. Eine zentrale Rolle spielen Ecdyson, Ecdysteron (Häutungshormone) und Juvenilhormone. Für jede Häutung, ob von Larve zu Larve, Larve zu Puppe oder Puppe zu Imago, sind Häutungshormone erforderlich. Die Art der Häutung wird durch die Menge des Juvenilhormons bestimmt: viel Juvenilhormon → Häutung zur Larve; wenig Juvenilhormon → Häutung zur Puppe; kein Juvenilhormon → Häutung zur Imago.

2.2 Arbeiterin

Arbeiterinnen sind zwar wie die Königinnen weiblich, können sich aber aus anatomischen Gründen weder paaren noch Spermien von Drohnen speichern. In ihren Eierstöcken entwickeln sich bisweilen unbefruchtete Eier. Aus diesen gehen jedoch einzig Drohnen hervor.

Solange ein Bienenvolk eine Königin besitzt, „weiselrichtig" ist, wird diese Möglichkeit kaum ausgeschöpft. Pheromone der Königin und der Brut hindern die Arbeiterin an der Eiablage.

Arbeiterinnen überwachen sich ausserdem gegenseitig, indem sie aggressiv gegen Eier legende Arbeiterinnen reagieren oder deren Eier zerstören (41).

Die Königin signalisiert mit Pheromon ihre Anwesenheit. Wenn ein Volk seine Königin verliert und keine neue Königin aufziehen kann, beginnen Arbeiterinnen nach einigen Wochen Eier zu legen. Sie werden Afterköniginnen oder Drohnenmütterchen genannt. Oft legen mehrere Arbeiterinnen Eier in dieselbe Zelle (→ Band „Imkerhandwerk", S. 114). Da nur männliche Brut produziert wird, geht das Volk zugrunde.

Lebenslauf der Arbeiterinnen
Wenn eine Arbeiterin aus ihrer Wabenzelle schlüpft, sind ihre anatomischen Merkmale zwar festgelegt, die Drüsen entfalten sich jedoch erst später nach einem komplexen Muster. Entsprechend ändert sich das Verhalten der Arbeiterin im Laufe ihres Lebens. Junge Arbeiterinnen engagieren sich vorwiegend im zentralen Brutnest; sie reinigen Zellen, füttern die Brut und versorgen die Königin. Mittelalte Bienen arbeiten hauptsächlich im Randbereich der Waben, indem sie Nektar abnehmen und einlagern, Pollen verstauen und für die Stockbelüftung sorgen. Alte Arbeiterinnen sind fast ausschliesslich als Sammelbienen ausserhalb des Stockes tätig. Durch die vorübergehende, altersabhängige Spezialisierung wird die Arbeit geteilt.

Abb. 51
Futterübergabe
Die Sammelbiene übergibt einen Teil ihres Honigmageninhaltes der jüngeren Nektarabnehmerin.

Bienenvolk – Königin, Arbeiterin und Drohne

Abb. 52
Wächterbiene
Aufmerksam verfolgt sie das Treiben am Stockeingang.

Tab. 2
Vielseitiges Arbeiterinnenleben
Es gibt fünf wichtige Berufe: Zellenputzerin, Ammenbiene, Nektarabnehmerin, Baubiene und Sammelbiene. Jede dieser Hauptaufgaben gliedert sich in weitere Spezialgebiete.

	Tage nach Schlüpfen	**Tätigkeit**	**Drüsenaktivität**
Stockbiene	1–2	Zellenputzerin: säubert Brutzellen, die vor kurzem frei geworden sind	
	3–12	Ammenbiene: füttert die Maden	Hypophyrinxdrüsen produzieren Futtersaft
	12–20	Nektarabnehmerin: Herstellung und Einlagerung von Honig Baubiene: Wabenbau Wächterbiene: bewacht Stockeingang	Futtersaftdrüsen geben Enzyme ab zur Herstellung von Honig; Giftdrüsen füllen Giftblase, Wachsdrüsen erreichen ihre maximale Grösse
Flugbiene	20–Lebensende	Sammelbiene: sammelt Nektar, Pollen, Wasser, Kittharz	

2.3 Königin

Die Königin wird auch Weisel oder Stockmutter genannt. Sie ist grösser als die Arbeiterin und hat einen langen Hinterleib mit gut entwickelten Eierstöcken. An den Hinterbeinen hat sie keine Sammelkörbchen, um Pollenhöschen aufzunehmen. Ihr Stachel weist weniger Widerhäkchen auf als jener der Arbeiterin.

Die Königin sorgt für die Nachkommen, indem sie von Januar bis Oktober Eier legt. Die Brutpflege überlässt sie aber den Arbeiterinnen. Gewöhnlich lebt nur eine begattete Königin im Volk.

Lebenslauf der Königin

Königinnen werden fünf bis sechs Tage nach dem Schlüpfen geschlechtsreif. Im Alter von sechs bis zehn Tagen fliegen sie aus. Nach einigen Orientierungsflügen begeben sie sich auf die Drohnensammelplätze, um sich von mehreren Drohnen begatten zu lassen. Sie bevorzugen Drohnensammelplätze, die zwei bis drei Kilometer entfernt liegen. Die Königinnen unternehmen bis zu drei Hochzeitsflüge, bis ihre Spermatheke mit ungefähr 5 Mio. Spermien gefüllt ist (→ S. 46).

Die Königinnen haben eine Lebensdauer von vier bis fünf Jahren.

Eiablage

Drei bis fünf Tage nach der Begattung beginnt die Königin Eier zu legen. Bevor sie ein Ei ablegt, steckt sie ihren Kopf in die dafür ausgewählte Wabenzelle. Mit den Vorderbeinen kontrolliert sie den Zelldurchmesser und informiert sich auf diese Weise über den Zelltyp (Arbeiterinnenzelle oder Drohnenzelle →S. 49). Die Bienenkönigin entscheidet über das Geschlecht ihrer Nachkommen. Öffnet sie den Schliessmuskel ihrer Spermatheke (Spermathekenpumpe), so wird das Ei befruchtet. Bei geschlossenem Spermathekengang wird das Ei unbefruchtet abgelegt (8a). Eine gesunde Königin legt vom Spätwinter bis in den Herbst etwa 200 000 Eier. Im Frühling, zur Zeit der Obstblüte, legt sie täglich bis zu 1200 Eier.

Die Königin wird von einem ständig wechselnden „Hofstaat" von ungefähr 12 Arbeiterinnen begleitet, die sie mit Futtersaft versorgen. Diese Bienen nehmen die Königinnensubstanz (Pheromon) auf und reichen sie an andere Stockbienen weiter. So informiert sich das Bienenvolk über die Qualität der Königin.

Verhindern ungünstige Witterungsverhältnisse den Hochzeitsflug bis zu drei Wochen, wird die unbegattete Königin drohnenbrütig. Es entstehen dann nur Drohnen, unabhängig davon, ob die Eier in Arbeiterinnen- oder Drohnenzellen abgelegt werden. Die Arbeiterinnenzellen sind zu klein für die Drohnenbrut, und es bildet sich Buckelbrut (→ Band „Imkerhandwerk", S. 114).

Abb. 53
Königin mit „Hofstaat"
Die Königin wird von Arbeiterinnen ständig gepflegt und gefüttert. Auch der Kot wird ihr abgenommen.

Abb. 54
Eier legende Königin mit Hofstaat
Bei der Eiablage hält sich die Königin mit den Beinen am Zellrand fest und führt ihr Hinterleibsende bis zum Zellgrund, um das Ei in aufrechter Stellung am Zellboden festzuheften.

Abb. 55
Bienenei
Querschnitt durch bestiftete Zelle.
Da die Eier wie kleine Stifte aussehen, spricht man auch vom „Bestiften" der Zelle.

2.4 Drohnen

Die männlichen Tiere im Bienenvolk entstehen, wie bei allen Hymenopteren (Hautflüglern), aus unbefruchteten Eiern (parthenogenetisch). Sie sind haploid, das heisst, sie besitzen nur einen einfachen Chromosomensatz, den sie von ihrer Mutter erben (haploide Chromosomenzahl, n = 16) (→ Band „Königinnenzucht", S. 58–59). Drohnen haben also keinen Vater, jedoch einen Grossvater, da ihre Mutter aus einem befruchteten Ei stammt.

Drohnen sind für die Begattung von Jungköniginnen verantwortlich. Sie produzieren in ihren Hoden 8 bis 11 Mio. genetisch identische Spermien. Die riesigen Facettenaugen und die hoch sensiblen Fühler helfen den Drohnen, die fliegende Königin zu finden, denn die Paarung vollzieht sich im Flug. Nützlich sind ausserdem die langen Flügel und kräftigen Flugmuskeln. Mit den Haarpolstern der Hinterbeine klammern sie die Königin fest.

2 Bienenvolk – Königin, Arbeiterin und Drohne

Abb. 56
Drohne
Für die Arbeit im Bienenstock und die Sammeltätigkeit sind Drohnen nicht ausgerüstet. Sie besitzen weder Pollenkörbchen noch Wachsdrüsen oder Stacheln. In der Beute wirken sie gelegentlich beim Wärmen der Brut mit. Denn junge Tiere halten sich hauptsächlich im Brutnest auf; ältere finden sich hingegen häufig an der Peripherie des Brutnests.

Lebenslauf der Drohne

In den Monaten März bis Juli schlüpfen in einem mittelstarken Volk 1000 bis 2100 Drohnen. Die frisch geschlüpften Drohnen halten sich bis zu ihrem achten Lebenstag im Stock auf. Die ersten paar Tage werden sie von den Arbeiterinnen mit Futtersaft versorgt, allmählich bedienen sie sich selber an den Honig- und Pollenvorräten.

Ab ihrem achten Lebenstag beginnen die Drohnen auszufliegen. In der Regel verlassen sie den Stock nachmittags. Vorerst begeben sie sich nur auf kurze Orientierungsflüge, von denen sie nach wenigen Minuten zurückkehren, um neue Energie aus den Honigzellen zu tanken. Geschlechtsreif sind die Drohnen acht bis zwölf Tage nach dem Schlüpfen, ihre Ausflüge werden dann länger (bis 60 Minuten), und sie suchen nach Drohnensammelplätzen, um sich zu paaren. Zu Hunderten oder gar Tausenden sammeln sich Drohnen aus verschiedenen Völkern der Umgebung auf Drohnensammelplätzen. Dort kreisen sie in 10 bis 40 Meter Höhe und erwarten die Königin. Solche Plätze haben einen Durchmesser von 30 bis 200 Meter und befinden sich typischerweise am Orten ohne hohe Vegetation. Drohnen legen Entfernungen von mehr als 30 km zurück; somit können Drohnen aus einem Volk ein Gebiet von bis zu 60 km im Durchmesser abdecken. Die Verwandtschaft unter den Drohnen auf einem Drohnensammelplatz wurde untersucht: Drohnen aus 240 verschiedenen Völkern waren vertreten (3). Die Wahrscheinlichkeit, dass sich eine Königin mit einem ihrer Brüder paart und es zu Inzucht kommt, wird dadurch auf ein Minimum reduziert. Bei der Paarung sterben die Drohnen.

Drohnen werden oft ohne Gegenwehr auch in Fremdvölkern geduldet. Besonders wenn diese in Schwarmstimmung sind und Jungköniginnen haben. Auch weisellose Völker nehmen stockfremde Drohnen gerne auf.

Die Lebensdauer der Drohnen beträgt 20 bis 50 Tage. Im Spätsommer oder bei Futtermangel vertreiben die Arbeiterinnen die Drohnen als unerwünschte Mitesser aus dem Stock. Sehr selten werden Drohnen bei dieser Auseinandersetzung abgestochen („Drohnenschlacht"). In seltenen Fällen überwintern Drohnen und leben entsprechend länger.

2.5 Fortpflanzung

Honigbienen pflanzen sich sowohl eingeschlechtlich als auch zweigeschlechtlich fort. Männliche Drohnen entwickeln sich aus unbefruchteten Eiern (Parthenogenese), weibliche Arbeiterinnen und Königinnen hingegen aus befruchteten Eiern. Dabei verschmilzt eine männliche Keimzelle (Spermium) mit einer weiblichen Keimzelle (Ei). Die daraus entstehende Generation trägt das neu kombinierte Erbgut der beiden Eltern (→ Band „Königinnenzucht", S. 57).

Geschlechtsorgane der Drohne

Die Drohnen besitzen paarige Hoden (Testes), in denen sich die Spermien entwickeln. Bei der schlüpfenden Drohne sind die Spermien (etwa 11 Mio.) in den Hoden bereits fertig ausgebildet. Sie wandern im Verlauf von etwa zehn Tagen in eine Erweiterung der Samenleiter und werden dort aufbewahrt, während die Hoden schrumpfen. Erst dann ist die Drohne begattungsfähig.

Grosse, sackartige Schleimdrüsen münden in den Samenkanal. Bei der Paarung gelangen Samen und Schleim über einen Spritzkanal in den Begattungsschlauch (Penis), der ruckartig in die Stachelkammer der Königin gestülpt wird.

Das Spermium gliedert sich in den 2 µm grossen Kopfteil, der den Kern der Samenzelle mit dem Erbgut (einfacher Chromosomensatz) enthält, und in eine sehr feine, bewegliche Geissel, die das Spermium antreibt.

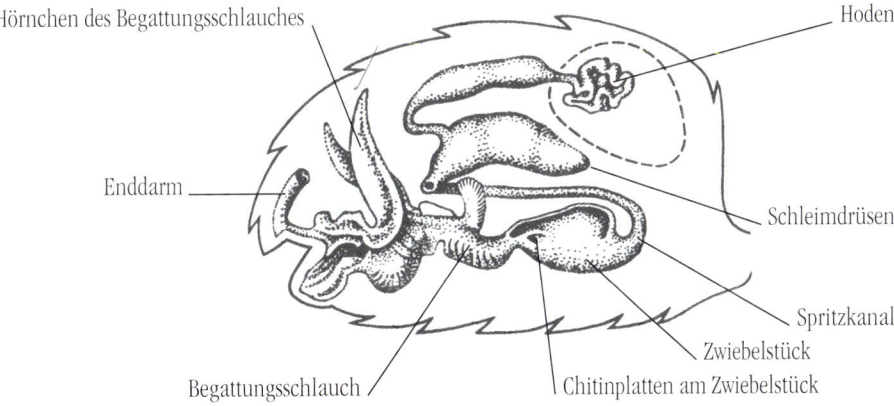

Abb. 57
Geschlechtsorgane der Drohne

Abb. 58
Ausgestülpter Begattungsschlauch
Bei der Begattung, die sehr schnell vor sich geht, wird der Begattungsschlauch wie ein „umgedrehter Handschuh" aus dem Hinterleib der Drohne ausgestülpt. Dabei stirbt sie. (8 b)

Bienenvolk – Königin, Arbeiterin und Drohne

Geschlechtsorgane der Königin

Die Eierstöcke (Ovarien) der Königin sind paarig und umfassen 150 bis 180 Eischläuche (Ovariolen), die in die ebenfalls paarigen Eileiter münden.

Die Entwicklung der Eizellen beginnt am äussern Ende der Eischläuche. Die sich entwickelnden Eizellen sind von kleinen Nährzellen umgeben. Die reifenden Eizellen verzehren die Nährzellen auf ihrem Weg Richtung Eileiter.

Wenn die Königin in Zeiten der Hochform täglich an die 2000 Eier ablegt, reift ein Ei rechnerisch in rund drei Stunden.

Auch Arbeiterinnen haben Geschlechtsorgane. Die beiden Eierstöcke der Arbeiterin bestehen allerdings nur aus 2 bis 12 Eischläuchen. Die rudimentär vorhandene Spermatheke kann keine Spermien aufnehmen.

Die Spermatheke (Samenblase) der Königin ist ein kugelförmiger, durchsichtiger Behälter von etwa 0,8 ml Inhalt. Sie speichert die bei der Paarung übernommenen 3–7 Mio. Spermien von verschiedenen Drohnen. Ein dichtes Tracheensystem umhüllt die Spermatheke. Das von den Spermien produzierte Kohlendioxid hemmt ihre eigene Aktivität. Die Spermien werden durch das alkalische Sekret der y-förmigen Spermathekendrüse reaktiviert. Diese liegt auf der Spermatheke und mündet beim Übergang zum Spermathekengang. Zur Eibefruchtung in der Vagina entlässt die Spermathekenpumpe jeweils einige Spermien aus der Spermatheke.

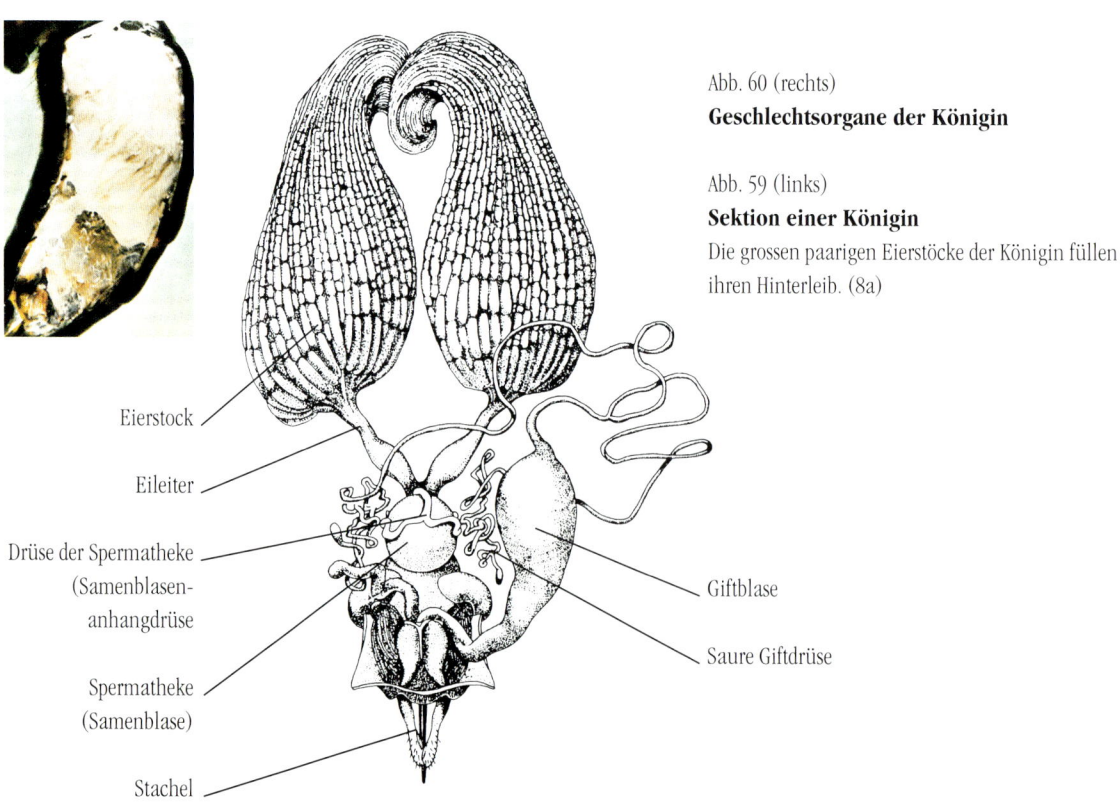

Abb. 60 (rechts)
Geschlechtsorgane der Königin

Abb. 59 (links)
Sektion einer Königin
Die grossen paarigen Eierstöcke der Königin füllen ihren Hinterleib. (8a)

Bienenvolk – Königin, Arbeiterin und Drohne

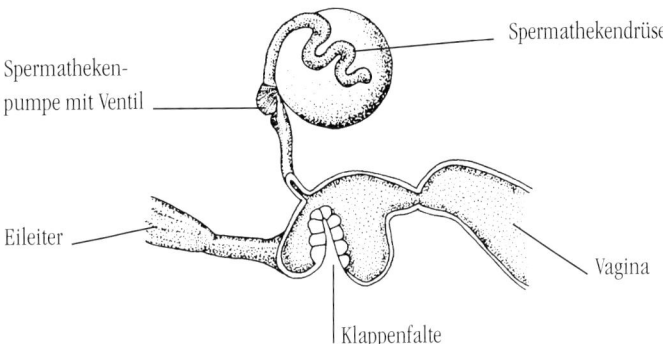

Abb. 61
Spermatheke der Königin

Hochzeitsflug und Paarung

Hochzeitsflüge finden am Nachmittag und nur bei gutem Wetter statt. Im Verlauf mehrerer Hochzeitsflüge paart sich die Königin mit 7 bis 12 Männchen. Die Paarung im freien Flug hoch in der Luft dauert weniger als 5 Sekunden, meist sogar nicht länger als 1 bis 2 Sekunden. (51)

Die Drohne reitet von hinten auf die Königin auf, umklammert ihren Hinterleib mit den Beinen und führt den Begattungsschlauch in die Stachelkammer ein.

Beim Aus- und Umstülpen des Begattungsschlauches stirbt sie und fällt nach hinten. Das Ejakulat fliesst in die Eileiter der Königin ein, die sich nun von der Drohne befreit. In der Scheide bleiben erhärteter Schleim und die Chitinplatten des Zwiebelstückes mit orangefarbenem Belag stecken (Begattungszeichen).

Das Begattungszeichen verhindert, dass die Spermien nach der Paarung zurückfliessen, und für nachfolgende Drohnen ist die empfängliche Königin durch das Zeichen gekennzeichnet. Es verhindert jedoch nicht, dass sich weitere Männchen mit der Königin paaren. Sie besitzen spezialisierte Haare an ihrem Begattungsschlauch, mit denen sich das Begattungszeichen der Vorgänger leicht entfernen lässt.

Die Spermien müssen nun von den Eileitern in die Spermatheke einwandern. Dieser Vorgang dauert etwa 40 Stunden. Von jedem Ejakulat der verschiedenen Drohnen wird jeweils ein kleiner Teil in die Spermatheke aufgenommen (52).

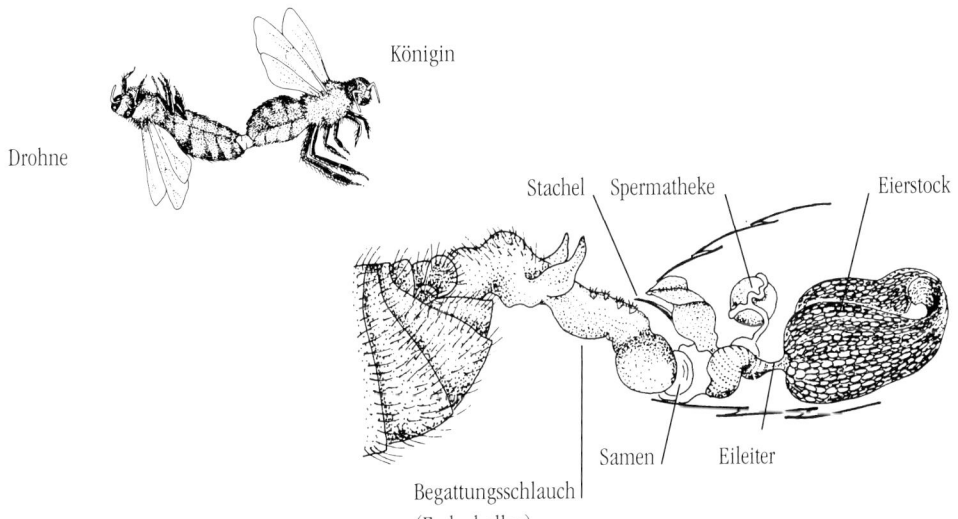

Abb. 62
Paarung

Eibefruchtung

Das reife Ei verlässt den Eischlauch im Eierstockbecken und gleitet durch den Eileiter in den vorderen Teil der Scheide, wo auch der Ausführgang der Spermatheke mündet. Falls das Ei für eine Arbeiterinnen- oder Königinnenzelle bestimmt ist, werden Spermien entlassen, sobald das Ei den Ausführgang passiert.

Ist es für eine Drohnenzelle vorgesehen, unterbleibt die Besamung.
Die beweglichen Spermien finden, chemotaktisch geführt, die Mikropyle des Eis. Das erste Spermium dringt ein. Bei der Befruchtung verschmilzt der Kern der Eizelle mit dem des Spermiums zu einer Zygote. Daraus entwickelt sich im Ei der vielzellige Embryo (→ S. 37).

2.6 Wabenbau

Der Wabenbau der Bienen ist ein architektonisches Wunderwerk der Natur. Die sechseckigen Zellen, in Reihen beidseits der Mittelwand, gewähren bei kleinstem Materialaufwand das grösstmögliche Fassungsvermögen. Die Waben hängen senkrecht.

Jede Wabenzelle ist von sechs rechteckigen Ebenen begrenzt, die in einem exakten Winkel von 120° zueinander stehen. Auf der Rückseite des Zellbodens treffen sich immer drei Zellen der Wabengegenseite. Diese Zellstruktur verleiht der Wabe grosse Stabilität.

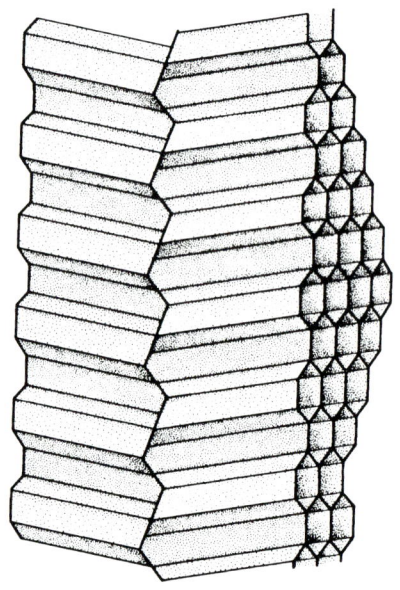

Abb. 63

Querschnitt durch Bienenwabe

Die Zellen sind schräg nach oben gerichtet (95°). Diese Anordnung erleichtert das Eindicken der aufgehängten Nektartröpfchen und vermeidet das Auslaufen gefüllter Honigzellen.

Abb. 64

Naturbau an einem Baumstamm

Der Wabenbau verleiht dem Volk Halt und dient als Nahrungs- und Wärmespeicher und als Brutstätte. Die Waben verlaufen parallel zueinander und hängen senkrecht (→ S. 28).

Bienenvolk – Königin, Arbeiterin und Drohne

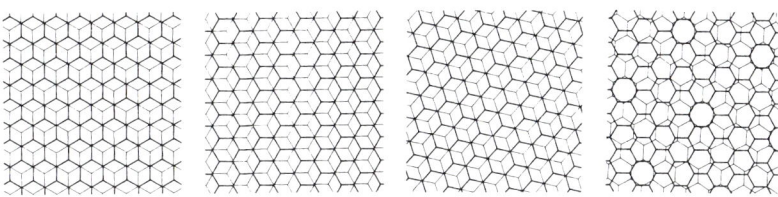

Abb. 65
Zellenmuster bei Naturbau
Die vertikale und die horizontale Anordnung der Zellen ist bei wild bauenden Völkern (ohne Wachsbaustreifen) etwa gleich häufig beobachtbar. Selten ist die schief geneigte, noch seltener die rosettenartige Anordnung (20a).

Zellarten und ihre Funktionen

Die Waben dienen der Brutaufzucht und als Speicherraum für Honig, Pollen und Wasser. Es werden drei Zellarten unterschieden:
- **Arbeiterinnenzellen** zur Aufzucht von Arbeiterinnen und zur Speicherung von Honig und Pollen
- **Drohnenzellen** zur Aufzucht von Drohnen und zur Lagerung von Honig
- **Königinnenzellen** zur Aufzucht von Königinnen.

Die Waben bestehen zum grössten Teil aus Arbeiterinnenzellen, zu etwa 15 % aus Drohnenzellen.

Abb. 66
Zellarten
Links: Arbeiterinnenzellen in vertikaler Anordnung; Mitte: Drohnenzellen in horizontaler Anordnung; rechts: schlupfreife Weiselzellen.

Tab. 3 **Zellenmasse**

	Durchmesser	Tiefe
Arbeiterinnenzelle	5,2–5,4 mm	10–12 mm
Drohnenzelle	6,2–6,4 mm	16 mm

Wabendicke

Arbeiterinnenbrutwabe	21,5–25,5 mm	
Drohnenbrutwabe	30 mm	
Honigwaben	27–37 mm	(Naturbau)
	40–45 mm	(Honigdickwaben)

Während die Dicke der Waben variiert, ist der Abstand zwischen ihnen konstant.
Dieser Abstand wird als Wabengasse bezeichnet und misst 8 ± 1,5 mm.
Zellen dienen wiederholt als Brutwiegen. Nach dem Schlüpfen der Biene bleiben Larven- und Puppenhäute, Kokon sowie Kotreste in der Zelle zurück. Mit jeder Brutgeneration verengt sich deshalb der Innenraum der Zellen, und die sich entwickelnden Bienen werden immer kleiner. Nachdem zehn Bienengenerationen aus einer Zelle geschlüpft sind, misst ihr Durchmesser 0,1–0,2 mm weniger. Bei einer drei- bis vierjährigen Wabe werden dieselben Zellen etwa 40-mal bebrütet. Ihr Durchmesser reduziert sich dabei um rund 8 %. Gleichzeitig vermindert sich das Schlupfgewicht der Arbeiterin um 16 % (von 125 mg auf 105 mg), der Honigblaseninhalt gar um 25 %.

Königinnenzellen

Königinnenzellen (Weiselzellen) dienen der Aufzucht der Königinnen. Das Volk baut sie vor dem Schwärmen oder wenn eine Königin ungenügend Eier legt beziehungsweise abhanden gekommen ist. Dementsprechend wird zwischen Schwarm-, Umweiselungs- oder Nachschaffungszellen unterschieden.
Die zapfenförmigen, dickwandigen Königinnenzellen haben eine Länge von 20 bis 25 mm und hängen senkrecht nach unten. Im Innern ist die Zelle zylinderförmig, aussen wird sie durch ein Netz von Wachsleisten versteift. Das Material dafür tragen die Bienen rund um die Weiselzelle zusammen. Gewöhnlich finden Weiselzellen keinen Platz zwischen den Waben und liegen deshalb meist am seitlichen und unteren Wabenrand des Brutnestes oder in abgetragenen Aussparungen im Zellverband. Je nach Veranlagung des Volkes werden zehn bis zwanzig Schwarmzellen gebaut. Im Gegensatz dazu errichten die Bienen zwei bis zehn Nachschaffungs- und ein bis zwei Umweiselungszellen über ursprünglichen Arbeiterinnenzellen mitten auf der Wabenfläche.
Nach dem Schlüpfen der Königinnen werden die Weiselzellen von den Arbeiterinnen weitgehend abgetragen.

Verdeckelung

Mit der Verdeckelung der Zelle erhöht sich die Stabilität der Wabe.
Die Bienen verdeckeln Zellen von Arbeiterinnenlarven am fünften, solche von Drohnenlarven am siebten Tag. Die Zellränder werden mit einem Gemisch von Wachs und Nymphenhäutchen verdickt und zum luftdurchlässigen Brutzelldeckel ausgezogen. Sie bauen kreisförmig und verschliessen die Zelle allmählich von aussen nach innen. Der ganze Prozess dauert rund zwei bis drei Stunden. Wenn eine Biene schlüpft, wird das Zelldeckelmaterial zu 60 % an anderer Stelle wieder verwendet (20d).
Mit Honig gefüllte Zellen werden mit frischem Bienenwachs luftdicht verschlossen. Die Bienen polieren die Oberfläche der Honigzelldeckel und dichten sie durch neue Wachsauflagen zusätzlich ab. Liegt der Zelldeckel dem Honig auf und wird durch ihn durchnässt, wirkt er relativ dunkel (Nassverdeckelung). Ist zwischen Honig und Zelldeckel Luft eingeschlossen, erscheint der Zelldeckel hell (Trockenverdeckelung) (8c).

Bienenvolk – Königin, Arbeiterin und Drohne

Abb. 67
Brutzelldeckel
Sie bestehen aus Wachs und kleinen Stücken von Nymphenhäutchen. Die Bienen verdeckeln die Brut im Stadium der Rundmade. Dabei verschliessen sie die Zellen allmählich von aussen nach innen. Brutzelldeckel sind leicht gewölbt und luftdurchlässig.

Abb. 68
Honigzelldeckel
Sie bestehen aus reinem Wachs und schliessen die Zelle luft- und wasserdicht ab. Für die Zelldeckel wird zum Teil Wachs der verdickten Zellränder genutzt. Zelldeckel auf älteren Waben sind dunkelbraun, weil sie viel Propolis enthalten.

Anordnung der Waben

Verläuft der Wabenbau quer zum Flugloch der Beute, wird er Quer- oder Warmbau genannt. Beim Längs- oder Kaltbau stehen die Waben längs zum Flugloch.

Die Stellung der Waben nimmt aber kaum Einfluss auf das Mikroklima der Beute. Andere Faktoren, wie beispielsweise die Exposition und Öffnung des Fluglochs oder die Maschengrösse des Gitterbodens, spielen eine wichtigere Rolle. Ein wild bauender Schwarm richtet seine Waben so aus, wie sie schon in seinem Muttervolk angeordnet waren. Sind die Waben eines Volkes zum Beispiel in nord-südlicher Richtung angeordnet, so werden die Schwärme aus diesem Volk ihren neuen Wabenbau meist auch in dieser Himmelsrichtung anlegen, und zwar unabhängig von der Lage des Flugloches. Dabei benutzen die Bienen das Erdmagnetfeld als Orientierung (20b). Deshalb stehen bei wild bauenden Völkern die Waben sowohl quer als auch längs oder diagonal zum Flugloch.

2 Bienenvolk – Königin, Arbeiterin und Drohne

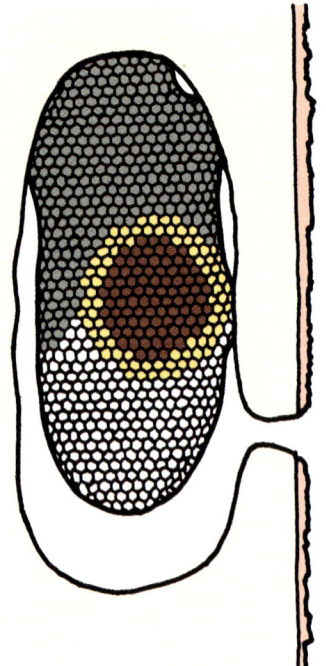

Abb. 69
Wabenbau
Der Baumstrunk wurde aufgespalten, um das wild bauende Volk entnehmen und in einen Bienenkasten umlogieren zu können. Die Waben hängen lotrecht nach unten und stehen parallel zueinander.

Abb. 70
Schematische Darstellung der Nestordnung
Oben oder hinten, fluglochfern, werden die Honigvorräte eingelagert. Das Brutnest wird in der Mitte der Waben, direkt unter den Vorratsgürteln und in der Nähe des Flugloches angelegt. Zwischen Brutanlage und Honigvorräten befindet sich meist ein Pollenkranz. Auch unterhalb der Brut wird manchmal Pollen eingelagert.

Bauverhalten

Zum Wabenbauen verwenden die Bienen körpereigenes Wachs. Dieses wird von den Wachsdrüsen (→ S. 32) auf der Bauchseite des Hinterleibes ausgeschieden und erstarrt zu Wachsplättchen. Mit den Hinterbeinen werden die Plättchen abgestreift und zu den Oberkiefern geführt. Dort werden sie zu kleinen Wachskrümelchen geformt und mit Sekreten der Speicheldrüsen vermengt. Dadurch wird das Wachs leichter formbar. Die Bienen verwenden nicht nur frisches, sondern auch zwischengelagertes Wachs. Mit überschüssigen Wachskrümeln werden Zellenränder von leeren Zellen verdickt. Bei Bedarf kann dieses Wachs wieder abgenagt und an anderer Stelle weiterverwendet werden (20d).
Als Wachslöser dient das Mandibeldrüsensekret. Mit den Mandibeln werden Wachsstrukturen geglättet und mit der Zunge Zellwände gereinigt. Die Biene kontrolliert die Form der Zelle und die Dicke der Zellwände mit den Sinnesorganen der Fühler.

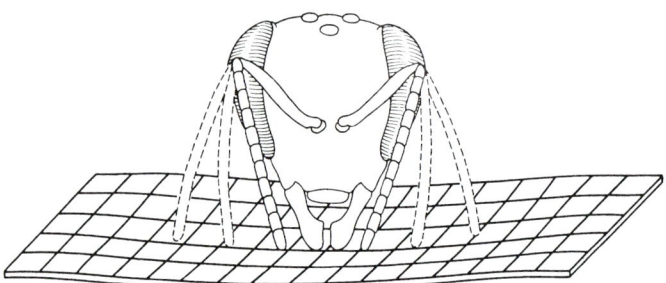

Abb. 71
Zellwanddicke messen
Die Baubiene tastet mit den Fühlern die Oberfläche der Zellwand ab, registriert deren Schwingung und verändert die Zellwandstärke mit ihren Mandibeln und Drüsensekreten (20c).

Die **Kleinbauarbeiten** (das Umarbeiten von altem Wachs, die Herstellung von Wachsbrücken und die Verdeckelung von Zellen) führen junge Bienen bis zum zehnten Lebenstag aus. Der eigentliche Wabenbau mit gleichzeitiger Wachsproduktion, die **Grossbauarbeiten**, wird von der Gruppe der Baubienen (10. bis 18. Tag) geleistet. Deren Wachsdrüsen stehen auf dem Höhepunkt ihrer Aktivität.

Ausgelöst wird das Bauverhalten nur bei Gegenwart der Königin (Königinnenpheromon) sowie durch Platzmangel infolge grosser Brut- und Sammeltätigkeit. Um die zum Bauen notwendige Temperatur von 35 °C konstant aufrechterhalten zu können, ketten sich Bienen zu Trauben zusammen und umgeben die Baubienen. Diese sind für sich allein tätig und wechseln ihre Plätze mehrmals. Das Baumaterial wird nicht weitergereicht.

Das Erstellen von Drohnen- und Weiselzellen ist saisonal und erfolgt meist vom Frühling bis zum Frühsommer.

Zum Bauen brauchen die Bienen Energie, die sie in Form von Nektar und Zucker aufnehmen. Fehlt die Energiezufuhr, unterbleibt die Bautätigkeit. Um 1 kg Naturbau herzustellen, benötigen die Bienen 9–14 kg Nektar, für zehn Waben etwa 10 l Zuckerwasser. Bedeutend ist dabei auch die Aussentemperatur, der Zustand des Volkes sowie dessen Pollen- und Nektarversorgung.

Abb. 72
Baubienen
Sie bilden Ketten und schliessen sich zu wärmenden Bautrauben zusammen. Die Biene in der Mitte scheidet gerade ein Wachsschüppchen aus. Stimulanzen zum Bauen sind: genügend Futter, zu wenig Zellen zum Brüten oder Einlagern von Futter sowie genügend Königinnenpheromon.

2.7 Nestklima

Bienen vermögen die Temperatur im Stock zu regulieren. Mit Thermorezeptoren an verschiedenen Körperstellen, insbesondere an den letzten sechs Fühlergliedern, können sie selbst geringe Temperaturveränderungen registrieren.

Um die Temperatur im Stock möglichst konstant zu halten, ändern die Bienen in erster Linie die Dichte des Bienensitzes. Sinkt die Umgebungstemperatur im Herbst gegen null Grad, schliessen sie sich zur Traube zusammen. Im Traubenkern um die Königin liegt das Wärmezentrum von 20–30 °C. Ist noch Brut vorhanden, wird die Brutnesttemperatur auf 35 °C gehalten. Nach aussen nimmt die Temperatur in der Bienentraube allmählich ab. Wärme erzeugen Arbeiterinnen im Innern der Bienentraube durch Bewegung der grossen Flugmuskeln. Die Bienen des Traubenmantels (äusserer Bereich der Bienentraube) regulieren den Wärmeabfluss durch unterschiedlich engen Zusammenschluss. Sinkt die Umgebungstemperatur der Traube in der Beute unter 10 °C, steigt parallel zur weiter sinkenden Temperatur der Futterverbrauch der Bienen, die zunehmende Energie erzeugen und die erforderliche Innentemperatur in der Traube aufrechterhalten (→ S. 65).

Wenn im Frühjahr die Bruttätigkeit einsetzt, steigt der Wärmebedarf und damit auch die Temperatur im Traubenzentrum auf 33–36 °C (Brutnesttemperatur). Herrschen niedrige Aussentemperaturen und hohe relative Luftfeuchtigkeit, bilden sich an den kältesten Stellen, meist beim Flugloch, auf der Bodenunterlage oder an der Rückwand, Kondenswasserlachen.

Das Mikroklima für die heranwachsende Biene bestimmen in erster Linie die Austauschvorgänge, die Wärmeleitung über leere und gefüllte Waben (leere Waben bieten einen recht guten Isolationsschutz) sowie der Wärmetransport durch die Bienen.

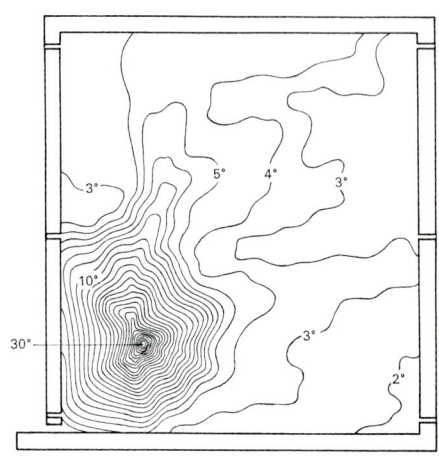

Abb. 73
Temperaturverteilung
Diese Temperaturen wurden in einem Bienenvolk im Winter bei –4 °C Aussentemperatur gemessen. Nur die Bienentraube wird geheizt, nicht aber die unbesetzten Stellen im Kasten.

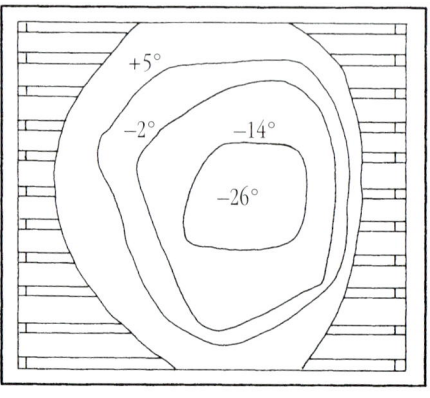

Abb. 74
Wintertraube
Der Durchmesser einer Wintertraube verändert sich je nach Aussentemperatur. Bei Erwärmung lockert sich die Traube auf; das Volk erscheint dann stärker als bei Kälte.

Bienenvolk – Königin, Arbeiterin und Drohne

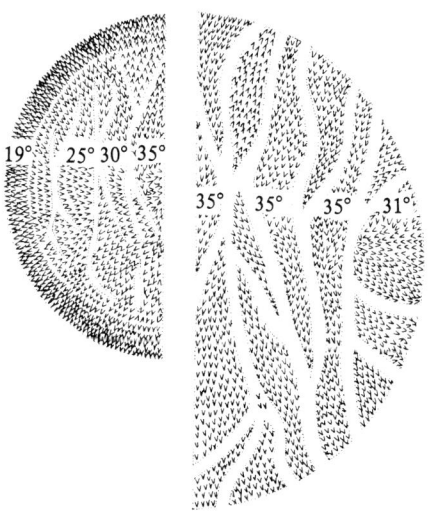

Abb. 75
Belüftung der Schwarmtraube
Linke Traubenhälfte: Bei tiefen Temperaturen zieht sich die Schwarmtraube zusammen. Die Belüftung durch Ventilation (Flügelfächeln) ist gering. Rechte Traubenhälfte: Bei hohen Temperaturen lockert sich die Traube auf und die Bienen ventilieren stark.

Abb. 76
Kühlwasser
Wenn im Volk Überhitzung droht, hängen Arbeiterinnen Wassertröpfchen an den Zellwänden auf. Diese Verdunstung führt bereits zu einer Abkühlung. Zudem wird durch Fächeln (Ventilieren) die feuchte Warmluft aus dem Stock geleitet.

Wird es im Stock zu warm, versprühen die Bienen durch das so genannte Rüsselschlagen Wasser. Die entstehende Verdunstungskälte senkt die Temperatur. Zusätzlich fächeln die Bienen mit den Flügeln (Flügelschwirren) und erzeugen einen Luftstrom, der die überschüssige Wärme ableitet.

Bei Überhitzung (> 45 °C) besteht für das Volk die Gefahr des Verbrausens. Dies kann bei luftdicht verschlossenem Flugloch während der Wanderung geschehen. Die Bienen versuchen vergeblich, die Stocktemperatur aufrechtzuerhalten. Mit ihrer zunehmenden Fächeltätigkeit steigt ihr Sauerstoffbedarf. Das Bienenvolk geht schliesslich durch Überhitzung und Sauerstoffmangel zugrunde.

Körpertemperatur
Die Bienen sind wie alle Insekten wechselwarme Tiere. Ihre Körpertemperatur schwankt mit der Umgebungstemperatur und liegt bei der ruhenden Arbeiterin in der Regel 1–2 °C darüber.
Körperwärme wird vor allem durch Zittern der grossen Brustmuskeln erzeugt. Die Temperatur des Brustabschnitts (Arbeitstemperatur) liegt im Allgemeinen bis zu 10 °C über der Aussentemperatur. Im Hinterleib und im Kopf ist die Temperatur niedriger. Die steigende Körpertemperatur führt zu einer zunehmenden Pulsation des Herzschlauchs, welcher den Wärmeüberschuss von der Brust zum Kopf leitet. Erwärmt sich nun auch der Kopf zu stark (> 40 °C), scheidet die Biene am Rüsselgrund ein Honigtröpfchen aus. Sie bewegt den Rüssel hin und her und beschleunigt damit die Verdunstung des Wassers, das im Honig und Nektar enthalten ist.

2 Bienenvolk – Königin, Arbeiterin und Drohne

Die so entstehende Verdunstungskälte kann ihre Kopftemperatur um 4–8 °C senken. Um während des Fluges Wärme abzugeben, lässt die Sammelbiene ihre sonst am Körper angelegten Beine frei nach unten hängen. Sinkt die Umgebungstemperatur auf 9–7 °C werden die Einzelbienen zunehmend regungslos. Die Kältestarre tritt bei 4–6 °C ein. Winterbienen sind der Kälte angepasst und erstarren bei tieferen Temperaturen als Sommerbienen.

Bienen fliegen bei mindestens 8–10 °C aus. Eine Rolle spielen dabei auch Sonnenschein, Helligkeit und Zustand des Volkes. Akklimatisierte Bienen in Bergregionen verlassen den Stock bei tieferen Temperaturen als solche in warmen Gebieten. Königinnen und Drohnen fliegen erst ab 15 °C aus und unternehmen Begattungsflüge vornehmlich bei über 20 °C.

2.9 Nahrungsbedarf

Alle Organismen benötigen ständig Energie um zu überleben. Diese Energie gewinnen sie aus der Nahrung. Neben Wasser brauchen Bienen Kohlenhydrate und Eiweisse.

Nahrungsquellen

Die Nahrung der erwachsenen Biene besteht aus Nektar und Pollen. Pollen (Blütenstaub) ist die Gesamtheit der männlichen Geschlechtszellen der Blütenpflanzen. Nektar wird von einem drüsenartigen Gewebe (Nektarium) der Blüte ausgeschieden, das in einzelnen Fällen auch ausserhalb von Blüten liegen kann. Gesammelt werden auch die süssen Honigtauausscheidungen von Insekten, die Pflanzensäfte saugen (→ Band „Bienenprodukte", S. 9).

Die zuckerhaltigen Säfte des Nektars und Honigtaus spenden die Kohlenhydrate, während der **Pollen** Eiweiss, Fett- und Mineralstoffe sowie Vitamine liefert. Je nach Pflanzenart schwankt die Zusammensetzung und der Gehalt an essenziellen Aminosäuren, ungesättigten Fettsäuren sowie Linol-, Linolen- und Arachidonsäure, Vitaminen und Provitaminen (→ Band „Bienenprodukte", S. 47).

Vorratsbildung

Bienen legen Vorräte an, um Perioden zu überbrücken, in denen sie wenig oder kein Futter finden (Schlechtwetter, Trachtlücken und Winterzeit). Der eingetragene Nektar und Honigtau wird von den Bienen durch körpereigene Drüsensekrete in gut verdaulichen Honig umgewandelt, der gereift in verdeckelten Zellen unter Verschluss gehalten wird.

Um den Pollen zu lagern, stampfen ihn die Bienen in den Wabenzellen fest und bedecken ihn mit einer Honigschicht (Bienenbrot). Seine Haltbarkeit ist jedoch beschränkt. Bei hoher Luftfeuchtigkeit kann er schimmeln. Sein Nährstoffgehalt nimmt nach ein bis zwei Jahren Lagerung deutlich ab.

Nicht nur die Vorräte in den Waben zählen, auch der Fettkörper der Biene kann bedeutende Mengen an Eiweiss, Fett und Glykogen speichern.

Abb. 77
Pollen und Nektar
Zur Deckung des Bedarfes an essenziellen Aminosäuren, Fettsäuren und Vitaminen sowie Mineralstoffen benötigen die Bienen ausreichende Mengen an Blütenstaub.

Nährstoffe

Zucker

Zucker sind für den Organismus leicht verfügbare Kohlenhydrate. Sie dienen in erster Linie der Erzeugung von Energie. Diese brauchen die Bienen, um ihren Betriebsstoffwechsel aufrechtzuerhalten sowie um Wachs zu produzieren und Fett zu synthetisieren. Die häufigsten Zuckerarten, welche die Biene verwertet, sind Glucose und Fructose. Der Zucker- oder Honigbedarf eines Volkes hängt von der Volksstärke, der Bruttätigkeit, dem Futterverwertungsvermögen sowie der Temperatur und Luftfeuchtigkeit ab. Pro Jahr beträgt er für ein mittelstarkes Volk 60–80 kg, was einer Nektarmenge von 120–160 kg entspricht. Eine fliegende Arbeiterin verbrennt pro Stunde rund 12 mg Traubenzucker (Glucose), eine fliegende Drohne das Dreifache.

Eiweisse (Proteine)

Bienen decken ihren Eiweissbedarf mit Pollen. Eiweisse enthalten lebensnotwendige Aminosäuren, welche ein unentbehrlicher Bestandteil der Aufbaunahrung (Baustoffwechsel) sind. Das Wachstum der einzelnen Organe und Drüsen wird in hohem Masse durch die Pollenaufnahme der Bienen ermöglicht. Frisch geschlüpfte Bienen müssen sich bereits mit Pollen voll fressen können. Auch in der Ernährung der Larven spielen Proteine eine wichtige Rolle. Sind sie nicht ausreichend vorhanden, erhöht sich die Mortalität. Der Pollenbedarf eines mittleren Bienenvolkes liegt zwischen 30 und 60 kg jährlich.

Fette (Lipide)

Die Fette sind besonders energiereich. Sie stammen zum Teil vom Pollen oder werden aus Kohlenhydraten aufgebaut. Fette werden vorwiegend im Fettkörper gespeichert. Eine wichtige Rolle spielen sie bei der Wachsherstellung und der Produktion des Futtersaftes. Der Fettgehalt des Bienenkörpers beträgt 9 % seiner Trockenmasse.

Mineralstoffe (Spurenelemente)

Mineralstoffe beziehen die Bienen über das eingetragene Wasser sowie den Pollen, Nektar und Honigtau. Mineralstoffe regulieren den Stoffwechsel, den osmotischen Druck in den Körperzellen und sichern das Säure-Basen-Gleichgewicht. Einige Mineralstoffe treten nur in Spuren auf, sind aber für die Bienen lebenswichtig. Diese Spurenelemente wie Mangan, Kupfer, Kobalt und Zink beteiligen sich am Aufbau von Enzymen und Vitaminen. Kobalt soll den Bruteinschlag begünstigen.

Zur Regulation von Temperatur und Luftfeuchtigkeit im Stock bevorzugen die Bienen mineralstoffarmes Wasser; zur Brutaufzucht aber mineralstoffreiches Güllen- und Pfützenwasser.

Vitamine

Vitamine sind für den Ablauf der Lebensvorgänge unentbehrlich und in sehr kleinen Mengen wirksam. Der Vitaminbedarf ist sichergestellt, wenn kein Pollenmangel herrscht.

Wasserhaushalt
Einzelbiene

Im Verhältnis zu ihrer Körpergrösse haben die Bienen eine grosse Oberfläche. Sie brauchen daher viel Wasser, um ihren Stoffwechsel aufrechtzuerhalten. Auch zur Produktion von Sekreten und Exkreten wird Wasser verwendet. Larven und Puppen sowie Ammenbienen weisen einen höheren Wassergehalt auf als alte Bienen. Die Wasseraufnahme der Arbeiterin ist bei Temperaturen zwischen 10 °C und 30 °C gering. Bei höheren Temperaturen (35–40 °C) trinken sie jedoch reichlich Wasser. Auch mit dem Nektar nehmen sie Wasser auf. Das Wasser gelangt über die Mitteldarmwand in die Hämolymphe. Nicht resorbiertes Wasser bildet in der Kotblase einen Wasservorrat. Um den Wassergehalt der Hämolymphe konstant zu halten, kann Wasser auch über die Kotblasenwand in die Blutflüssigkeit aufgenommen werden. Die Durchlässigkeit der Kotblasenwand ist im Sommer geringer als im Winter. Sie wird durch Hormone der Corpora allata reguliert (→ S. 34).

Bienenvolk

Während der Brutperiode benötigt ein mittleres Volk durchschnittlich zwei Liter Wasser pro Tag. Der Wasserbedarf steigt mit zunehmender Temperatur und sinkt, wenn die Luftfeuchtigkeit in der Beute ansteigt.
Um zu gedeihen, braucht die Brut eine hohe relative Luftfeuchtigkeit. Die Bienen tragen Wasser ein und verdunsten es. So halten sie die Werte zwischen den Wabengassen relativ konstant auf 40 % Feuchtigkeit.

Abb. 78
Künstliche Bienentränke
Das Bienenvolk braucht zur Aufzucht der Brut durchschnittlich zwei Liter Wasser pro Tag.

3 Lebenszyklus des Volkes und Massenwechsel

Pascale Blumer

Die Sonne scheint – ein lautes Summen erfüllt die Luft. In wilden Kreisbahnen schwirren unzählige Bienen umher und aus dem Flugloch drängen noch mehr. Irgendwo fliegt die Königin, die sich bald in der Nähe auf einem Baumast oder einem Zaunpfahl niederlässt. Um sie herum bildet sich die Schwarmtraube. Nachdem Kundschafterinnen einen günstigen Nistplatz ausgemacht haben, fliegt der Schwarm dem neuen Heim entgegen.

Abb. 79
Schwarmtraube
Ein Teil des Bienenvolkes ist ausgezogen, um an einem fremden Ort einen neuen Staat zu gründen. Doch zunächst fliegen die Bienen nicht weit, sondern bilden um die Königin herum eine Schwarmtraube.

3.1 Geburt eines Bienenvolkes

Vorbereitungen zum Schwärmen
Der Geburt eines neuen Volkes gehen verschiedene Aktivitäten voraus. Nur wenn alles perfekt zusammenspielt, wird das Schwarmgeschehen ausgelöst.

Abb. 80
Faktoren, die das Schwärmen beeinflussen
Das Schwarmgeschehen wird durch eine Vielzahl volkseigener (interner) und umweltbedingter (externer) Faktoren ausgelöst.

Die Bienen beginnen frühzeitig, meist schon Anfang Januar, mit der Brutaufzucht. Ab Februar legt die Königin immer mehr Eier. Ende März oder Anfang April scheinen die Bienenvölker dann förmlich zu explodieren. In zunehmendem Masse schlüpfen Jungbienen, so dass es im Bienenstock eng wird. Zu Beginn der Saison unterdrücken Königinnenpheromone den Bau von Weiselzellen. Doch dann nimmt die Verteilung und relative Konzentration dieses Signalstoffes ab.

Fussabdruckpheromon der Königin (Foot-print-Pheromon)
Wenn ein Bienenvolk stark angewachsen ist und den Bienen kaum noch Platz zur Verfügung steht, ist auch die Königin in ihrer Bewegungsfreiheit eingeschränkt, umso mehr, wenn immer mehr verdeckelte Brut vorhanden ist und sie kaum noch leere Zellen zum Bestiften findet. Sie hält sich dann vermehrt in der oberen Hälfte der Waben auf. An den unteren Rand der Waben gelangt sie kaum noch. Dort werden schon bald erste Weiselzellen gezogen. Die Vermutung, dass durch den Kontakt der Königin die Bildung von Weiselzellen unterdrückt wird, liegt nahe. Tatsächlich verteilt sie auf ihren Wanderungen mit den Tarsen (Fussgliedern) zwei Signalstoffe, so genannte Pheromone. Eines dieser Pheromone wird von der Mandibeldrüse und das andere von der Tarsaldrüse abgegeben. Bei Königinnen, die Eier legen, ist die Tarsaldrüse besonders gut ausgebildet. Versuche haben gezeigt, dass ein Gemisch beider Pheromone die Bildung von Weiselzellen verhindert (29).

Am Rand des Brutnestes beginnen die Arbeiterinnen Weiselzellen zu bauen, die schon bald von der Königin bestiftet werden. Jetzt bricht eine Kaskade von Ereignissen los, die nicht mehr aufzuhalten ist. Sowohl Sammeltätigkeit als auch Baulust und Putztrieb der Bienen nehmen merklich ab, dafür steigt deren Aggressivität. Die Arbeiterinnen füttern die Königin nur noch spärlich, schütteln, stossen und beissen sie sogar. Als Folge davon verliert die Königin an Gewicht und reduziert ihre Legeleistung.

Gleichzeitig wird sie aber wieder flugtauglich.
Die Bienen bereiten sich ebenfalls auf den „Ausflug" vor und fressen Proviant in sich hinein. Innert etwa zehn Tagen nimmt das mittlere Gewicht ihrer Honigblasen um das Vierfache zu. Auch die Bienen, die später nicht mitfliegen, beteiligen sich an diesen Fressorgien. Die Zuckerkonzentration des Honigblaseninhalts steigt von rund 40 % auf 70 % (7). Im Fettkörper legen die Bienen weitere Futterreserven an (→ S. 24).

Abb. 81
Weiselzellen
Sie werden meist am Rande des Brutnestes gezogen.
Oben links: Zuerst „blasen" die Bienen kleine, runde, nach unten gerichtete Weiselnäpfchen an.
Oben rechts: Sobald die Königin ein Ei in den Weiselbecher gelegt hat und daraus eine Larve geschlüpft ist, wird diese mit reichlich Futtersaft (Gelée Royale) gefüttert. Die Zelle wird verlängert.
Unten links: Neun Tage nach der Bestiftung wird die Königinnenzelle verdeckelt.
Unten rechts: Am 15./16. Tag schlüpft die Jungweisel. Mit ihrem gezahnten Oberkiefer (Mandibeln) hat sie den Zelldeckel soeben kreisrund aufgeschnitten.

Lebenszyklus des Volkes und Massenwechsel

Vorschwarm

Die Verdeckelung der ersten Weiselzelle gibt das Signal zum Aufbruch. Die meisten Schwärme fliegen zwischen 11 und 16 Uhr los. Verzögert sich das Schwärmen infolge schlechten Flugwetters um mehrere Tage, so können wir die Jungköniginnen in den Weiselzellen quaken hören.

Am Tag vor dem Auszug der Bienen herrscht im Volk Ruhe. Mit so genannten Schwirrläufen kündigen einige Bienen am Schwarmtag das kommende Geschehen an. Sie rennen dabei im Zickzack über die Waben und vibrieren in kurzen Intervallen mit den Flügeln. In der Folge breitet sich die Unruhe lawinenartig im ganzen Volk aus (10).

Nun ergiesst sich aus dem Flugloch eine wahre Flut von Bienen, in der die alte Königin meist mitgerissen wird. Rund 1000 Bienen pro Minute quellen ins Freie. Der Bienenwolke schliessen sich auch noch Bienen von Nachbarvölkern an (17).

Bereits nach 10 bis 150 Metern lässt sich die Königin vorübergehend an einer exponierten Stelle nieder. Angezogen von verschiedenen Signalstoffen bilden die Bienen um die Königin herum eine Schwarmtraube und beruhigen sich dann bald. Anziehend wirkt das Stachelkammerpheromon der Königin und der Sterzelduft der Nassanoffdrüse der Spurbienen, beruhigend die Königinnensubstanz.

Wird die Königin entfernt, nachdem sich die Schwarmtraube geformt hat, so fliegen die allermeisten Bienen in ihre Herkunftsvölker zurück. Schon nach 30 Minuten in der Schwarmtraube erlischt aber die Erinnerung der Bienen an ihr voriges Heim und sie finden nicht mehr dorthin zurück.

Während die jüngeren Bienen im Innern der Schwarmtraube in lockeren Ketten zusammenhängen, bilden die älteren Arbeiterinnen um sie herum einen dichten Mantel. Noch fehlt dem Schwarm eine geeignete Behausung. Die Spurbienen sind aber bereits auf der Suche nach einem Quartier. Nach eingehender Prüfung des neuen Heims wird der Schwarm dort einen neuen Bienenstaat gründen.

Manchmal können wir noch im September Schwärme beobachten. Doch je früher im Jahr ein Volk loszieht, desto besser stehen seine Chancen, eine überwinterungsfähige Populationsgrösse aufzubauen und genügend Futterreserven für den Winter anzulegen.

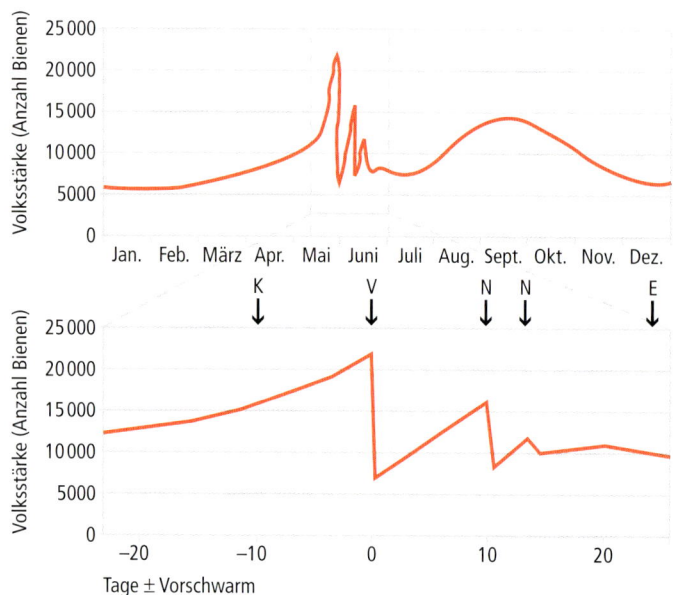

Abb. 82

Schwankungen der Volksstärke während der Schwarmzeit

Oben: Populationsentwicklung im Jahreslauf;
unten: vergrösserter Ausschnitt der Populationskurve während der Schwarmperiode.

Ungefähr zehn Tage vor dem Abgang des Vorschwarms beginnt das Bienenvolk mit der Nachzucht von Königinnen (K). Bis zum Auszug des Vorschwarms (V) wächst die Population stark an. Danach fällt sie zusammen, erholt sich aber rasch wieder, bis der erste Nachschwarm abfliegt (N). Oft folgt dem ersten Nachschwarm ein zweiter. Rund zehn Tage nach Abgang des letzten Nachschwarmes beginnt die neue Königin des Muttervolkes, Eier zu legen (E).

Nachschwarm

Die zurückgebliebenen Bienen verfügen über eine Behausung und reichlich Futterreserven. Doch mit dem Abgang des Vorschwarms ist das Muttervolk um einige tausend Bienen geschrumpft. Zwar war die Eilegeleistung der alten Königin unmittelbar vor dem Schwärmen deutlich reduziert, doch zuvor lief die Brutaufzucht auf Hochtouren. Im zurückgebliebenen Volk schlüpfen nun immerfort junge Bienen, und die Population steigt innert kurzer Zeit auf die ursprüngliche Grösse an.

Die erste Königin, die nach dem Vorschwarm schlüpft, fliegt häufig mit einem Nachschwarm davon. Manchmal fliegen mehrere Jungköniginnen gleichzeitig mit. Die Bienenzahl solcher Nachschwärme ist meist geringer als jene des Vorschwarms. Diese kleinen Schwärme haben es nicht leicht, ein überwinterungsfähiges Volk mit genügend Bienen und Futterreserven aufzubauen.

Tüten und Quaken der Königin

Vor dem Abflug eines Nachschwarmes vernehmen wir oft ein Tüten und Quaken aus den Völkern. Beide Lautäusserungen erzeugen die Königinnen durch Vibration der Flugmuskulatur. Geschlüpfte Königinnen tüten, noch nicht geschlüpfte in den Weiselzellen quaken.

Indem die Königinnen ihren Thorax fest auf die Waben drücken, übertragen sie die Schwingung auf den Untergrund. Waben leiten diese Schwingungen besonders gut weiter. Die Bienen nehmen das Signal dann mittels spezieller Organe an den Beinen wahr.

Befinden sich in einem Volk mehrere Königinnen, so folgt auf jeden Tüt- oder Quaklaut eine entsprechende Antwort einer Konkurrentin, und die älteste Königin wird schon bald mit einem Teil der Bienen davonziehen.

Sofern die übrigen Rahmenbedingungen erfüllt sind, vermögen sogar auf Tonband registrierte Tütlaute einen Schwarm auszulösen (39, 40).

„Zum Schwärmen" – Fachbegriffe

Vorschwarm	erster Schwarm, der mit der alten Königin aufbricht
Nachschwarm	Schwarm mit einer oder mehreren Jungköniginnen, der nach dem Vorschwarm auszieht. Ein Volk kann mehrere Nachschwärme abgeben.
Singerschwarm	Stirbt die alte Stockmutter vor dem Schwärmen, quaken die Jungköniginnen in den Zellen eifrig und künden ihr Schlüpfen an.
Falscher Schwarm	Die Königin ist beim Auszug des Schwarms im Stock geblieben oder dorthin zurückgekehrt.
Scheinschwarm	Nach einer längeren Schlechtwetterperiode begleiten manchmal viele Arbeitsbienen die Königin auf dem Hochzeitsflug. Stürzt die Königin mit den kopulierenden Drohnen ab, bildet sich um sie herum eine Bienentraube, die sich aber bald wieder auflöst.
Hungerschwarm	durch lange andauernden Futtermangel ausgelöster Schwarm
Schwarmteufel	Völker mit besonders ausgeprägtem Schwarmtrieb

Lebenszyklus des Volkes und Massenwechsel

Schicksal des Muttervolkes

Bleibt die geschlüpfte Königin im Muttervolk, ohne mit einem Nachschwarm loszuziehen, so muss sie ihre Konkurrentinnen ausschalten. Dazu beisst sie die Weiselzellen seitlich auf und tötet die Puppen.

Manchmal hindern die Arbeiterinnen die Königin daran, und es können weitere Königinnen schlüpfen. In der Folge kommt es zum Kampf zwischen den Königinnen. Die beweglichste und vitalste überlebt und ist fortan die Stockmutter des Volkes.

Im Gegensatz zum Vorschwarm sehen sich sowohl Nachschwärme wie Muttervolk mit einem weiteren Risiko konfrontiert: Den jungfräulichen Königinnen steht nämlich noch der Hochzeitsflug bevor (→ S. 47). Erst wenn ihnen dieser geglückt ist, beginnen sie mit der Eiablage. Bis die ersten Bienen der neuen Generation schlüpfen, sind die Muttervölker meist stark geschwächt und bringen oft keine Sommerernte mehr ein.

Stilles Umweiseln

Manchmal ersetzt ein Bienenvolk die alte Königin auch durch eine junge, ohne zu schwärmen. Die Arbeiterinnen beginnen dann plötzlich Weiselzellen zu ziehen, meist inmitten des Brutnestes. Nach dem Schlüpfen der Jungkönigin wird die alte Königin im Volk oft noch geduldet und erst verstossen, wenn ihre Nachfolgerin erfolgreich vom Hochzeitsflug zurückgekehrt ist.

Gewöhnlich leiten Bienen das stille Umweiseln ein, wenn die Stockmutter zu wenig Signalstoffe produziert oder ungenügend Eier legt. Dieser Prozess ist nicht so risikoreich wie das Schwärmen. Doch der Bienenstaat kann sich dabei weder vermehren noch neue Trachtgebiete erschliessen.

Abb. 83

Aufgebissene Königinnenzelle

Eine Jungkönigin hat die Zelle einer noch nicht geschlüpften Konkurrentin seitlich aufgebissen und die Puppe totgestochen.

3.2 Bienenvolk im Jahreslauf

Als Volk durch den Winter – gemeinsam statt einsam

Die Staaten der einheimischen Wespen und Hummeln gehen im Herbst zugrunde; nur die begatteten Weibchen (Königinnen) überwintern. Aus den Eiern, die sie im Frühling legen, entwickeln sich neue Staaten. Bis zum Sommer können diese Völker auf einige zehn bis einige hundert Individuen anwachsen, zahlenmässig bleiben sie aber jenen der Honigbienen stets unterlegen (→ Band „Natur- und Kulturgeschichte", S. 23, 28).

Honigbienen aber überwintern als Volk und starten bereits als individuenreiche Gemeinschaft ins neue Jahr. So leisten sie einen wichtigen Beitrag zur Bestäubung der frühen Kulturen wie Kern- und Steinobst (→ Band „Imkerhandwerk", S. 31). Um die schwierige Winterzeit als Volk zu überdauern, bedarf es spezieller Anpassungen.

Höhlenbehausung

Auch Honigbienen brauchen ein Dach über dem Kopf. Wilde Honigbienen bewohnen hohle Bäume oder kleine Höhlen. Der Bienenkasten ersetzt diese ursprüngliche Behausung.

Wintertraube

Wenn es im Herbst kühl wird, verdichtet sich der Sitz der Bienen. Bei Temperaturen um den Nullpunkt und darunter schliesst sich das gesamte Volk zur Wintertraube zusammen. Diese ist keine homogene Kugel: In ihrem Zentrum produzieren locker gruppierte Bienen Wärme. Um die Traube herum legt sich ein 2,5–7,5 cm dicker Bienenmantel. Während die Dichte der Bienen von innen nach aussen zunimmt, sinkt die Temperatur von über 30 °C im Zentrum auf 6–8 °C an der Oberfläche der Wintertraube (12).

Abb. 84
Als Volk durch den Winter
Dank spezieller Anpassungen der Honigbienen können Schnee und Kälte einem gesunden, wohl genährten Volk nichts anhaben. Um sich vor der Kälte zu schützen, bilden die Honigbienen eine Wintertraube und produzieren beim Verzehr des Wintervorrates Wärme. Da die Winterbienen länger leben, kann das Volk die Brutpause überbrücken.

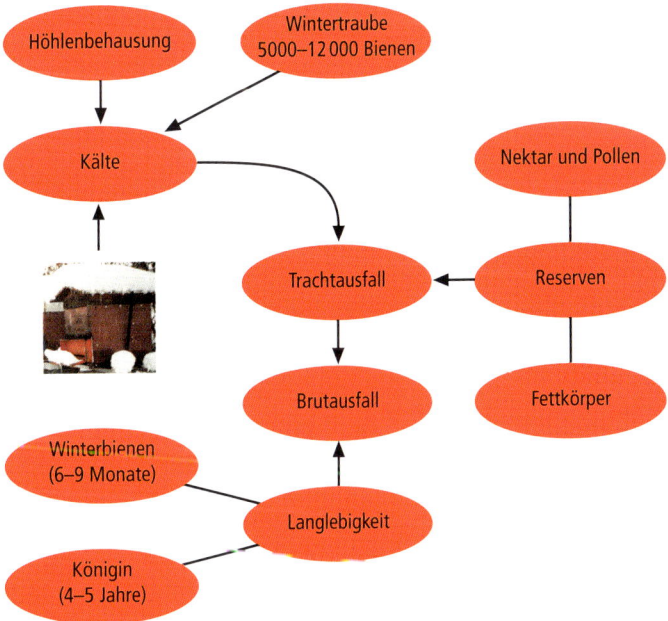

3 Lebenszyklus des Volkes und Massenwechsel

Abb. 85
Wintertraube
Über fünf bis sieben Waben bilden die Bienen annähernd eine Kugelform. Im Innern sind sie locker gruppiert und produzieren durch Vibration der Flugmuskulatur Wärme. Gegen aussen nimmt die Dichte der Bienen zu und die Temperatur ab. Zum Gas- und Feuchtigkeitsaustausch dienen schmale Ventilationsöffnungen (→ Abb. 75, S. 55).

Dank der relativ kühlen Oberfläche ist die Abstrahlung und damit der Wärmeverlust gering.
Der enorme Temperaturunterschied zwischen Traubenzentrum und Aussentemperatur kann nur aufrechterhalten werden, wenn die Wintertraube genügend gross ist. Bei geringer Bienenzahl ist die Temperatur im Bienenmantel erhöht und der Wintertraube geht viel Wärme verloren. Überwintern extrem viele Bienen, so steigt der Futterkonsum, und das Volk riskiert zu verhungern. Die ideale Einwinterungsstärke eines Volkes liegt zwischen 5000 und 12 000 Bienen (31, 48).

Nahrungsreserven
Die Bienen, die im Innern der Wintertraube Wärme produzieren, verbrauchen beinahe dreimal so viel Nahrung wie ihre Genossinnen im umhüllenden Mantel (12). Die Energie zur Wärmeproduktion gewinnen die Bienen aus den Futterreserven, die sie im Sommer angelegt haben. Im Verlauf des Winters konsumiert ein Volk rund 10 kg eingelagertes Futter (30).
Die Menge allein garantiert aber noch keine gute Versorgung. Die Winterbienen können nur zentral eingelagerte Futtervorräte nutzen. Auch die Qualität des Futters ist von Bedeutung. Blütenhonig beispielsweise ist leichter verdaulich als ballaststoffreicher Waldhonig und daher auch besser geeignet als Nahrungsreserve. Weitere Reserven speichern Winterbienen im Fettkörper und Blut.

Winterbienen leben länger
Eine Biene lebt im Sommer durchschnittlich drei bis vier Wochen. Da ständig junge Bienen schlüpfen, bleibt die Populationsgrösse konstant. Während des Winters wird keine Brut aufgezogen, und das Volk würde aussterben, wenn es keine langlebigen Winterbienen gäbe. Diese weisen zwar äusserlich keine besonderen Merkmale auf, physiologisch und vom Verhalten her unterscheiden sie sich aber deutlich von den Sommerbienen (→ S. 71). Sie sind passiver und leben länger. Mit einem Alter von sechs bis neun Monaten überdauern sie die brutlose Zeit und bauen mit der Königin im Frühjahr erneut das Volk auf.
Die Bienenkönigin nimmt im Volk eine zentrale Rolle ein. Das Volk kommt nur erfolgreich durch den Winter, wenn auch seine Königin Schnee und Kälte überdauert. Gewöhnlich erreichen Königinnen ein Alter von 4 bis 5 Jahren (15).

Frühlingserwachen: Winterbienen leisten Grosses

Sobald das Tageslicht im Januar wieder zunimmt, beginnt die Königin, Zellen im Zentrum der Bienentraube zu bestiften.

Anfangs reagieren die Bienen noch empfindlich auf Schwankungen der Aussentemperatur und geben die Brutaufzucht wieder auf, wenn es kühler wird. Überschreitet schliesslich die Temperatur eine Schwelle von 6 °C, läuft die Brutaufzucht unabhängig von der Aussentemperatur.

Die im Herbst und Winter eher passiven Winterbienen wandeln sich bei Saisonbeginn zu aktiven Sommerbienen und beginnen mit der Brutaufzucht. Im Februar ist nur wenig oder noch kein Frischpollen zur Futtersaftproduktion verfügbar. Die Bienen mobilisieren die im Fettkörper gespeicherten Eiweisse und nutzen unter dem Honig konservierten Pollen. Dabei entfalten sich auch ihre Futtersaftdrüsen.

Der Startschuss für die Brutaufzucht fällt je nach Gegend Mitte März, wenn die Winterbienen die erste Massentracht einbringen. Die Brutfläche dehnt sich rasch aus, und bald stossen erste Jungbienen zum Volk. Da aber gleichzeitig viele Winterbienen sterben, verläuft die Populationsentwicklung zu Beginn zögerlich (Frühjahrsdepression), bis im April die letzten Winterbienen sterben. Dann übersteigt die stetig zunehmende Zahl der schlüpfenden Bienen jene der sterbenden bereits bei weitem, und die Völker wachsen rasch. Neben Arbeiterinnen werden ab März, April auch Drohnen herangezogen.

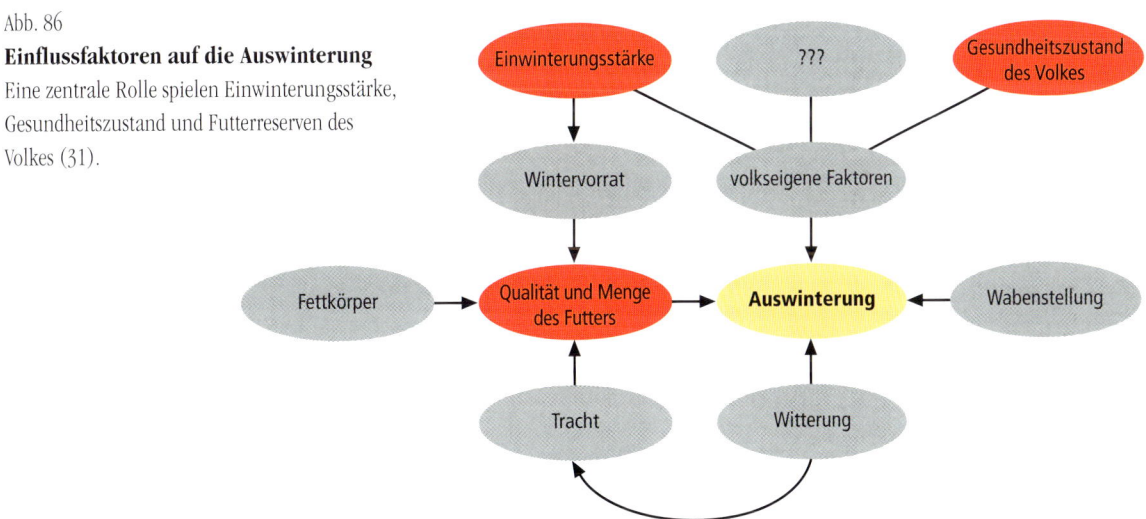

Abb. 86
Einflussfaktoren auf die Auswinterung
Eine zentrale Rolle spielen Einwinterungsstärke, Gesundheitszustand und Futterreserven des Volkes (31).

Tab. 4
Je nach Jahreszeit entwickeln sich mehr oder weniger Eier zu Larven und später zu adulten Bienen. Die Fläche der bestifteten Zellen entspricht somit nicht der Zahl der schlüpfenden Bienen (34).

Jahreszeit	Anteil schlüpfender Bienen
Frühling	75–80 %
Sommer	80–90 %
Herbst	50–75 %

Lebenszyklus des Volkes und Massenwechsel

Sommer: Königin in Hochform

Seit dem zögerlichen Start im Februar hat die Königin die Eiablage kontinuierlich gesteigert. Die Legeleistung der Königin unterliegt saisonalen Schwankungen. Im Mai, Juni stösst sie schliesslich an ihre Leistungsgrenze (2000 Zellen/Tag) (18). Zu dieser Höchstleistung ist sie nur fähig dank guter Futterversorgung durch die Arbeiterinnen. Die Pflegebereitschaft der Arbeiterinnen beeinflusst deshalb die Eilegeleistung der Königin. Die vielen schlüpfenden Jungbienen erhöhen auch den Bautrieb des Volkes, und der Königin stehen genügend leere Zellen zum Bestiften zur Verfügung. Schon ab Juni reduziert die Königin aber ihre Eilegeleistung (50).

Neben den jahreszeitlichen Schwankungen unterliegt die Legeleistung der Königin auch einer kurzfristigen Periodik. In Intervallen von 9–12 Tagen lösen sich Phasen hoher und niedriger Eilegetätigkeit ab (18).

Mit der maximalen Legeleistung der Königin erreicht das Bienenvolk Mitte Saison auch den Bruthöhepunkt (30 000–45 000 Brutzellen).

Bezüglich der Brutaufzucht haben die Bienen bereits die Hälfte ihrer Jahresleistung vollbracht, und die Brutfläche beginnt wieder abzunehmen. Drei Wochen nach dem Brutmaximum finden wir in den Völkern die maximale Zahl an adulten Bienen (durchschnittlich 25 000–30 000 Bienen/Volk). Infolge des Brutrückganges nimmt auch die Bienenzahl rasch ab, innert den folgenden drei Wochen um bis zu 70% (48).

Wie alt werden Honigbienen?

Bienen weisen äusserlich fast keine Merkmale auf, die auf ihr Alter hinweisen. Dennoch gelang es Dzierzon bereits im 19. Jahrhundert, das Maximalalter von Honigbienen zu ermitteln. In einen Kunstschwarm dunkler *Carnica*-Bienen setzte er eine gelbe *Ligustica*-Königin ein. Alle Nachkommen dieser Königin waren gelb (dominantes Allel) (→ Band „Königinnenzucht", S. 62). Dzierzon hat das Volk regelmässig kontrolliert und den Rückgang an dunklen Bienen verfolgt. Die letzten dunklen Bienen starben sechs Monate nachdem die gelbe Königin zugesetzt worden war. Mit dieser genetischen Markierung ermittelte Dzierzon ein Maximalalter von sechs Monaten.

In der ersten Hälfte des 20. Jahrhunderts haben Nickli und Armbruster das Bienenalter im Jahreslauf bestimmt. Sie haben Gruppen von Bienen eines bestimmten Schlupftages mit Farbtupfen auf dem Brustschild versehen. Mittels regelmässiger Zählungen wurde das Überleben der markierten Tiere verfolgt.

Wille und Gerig erarbeiteten in den sechziger Jahren eine visuelle Schätzmethode zur Ermittlung der Volksentwicklung (16). Aus den regelmässig erhobenen Daten des Brutumfangs und der Volksstärke lässt sich die Lebenserwartung der Bienen indirekt berechnen (5, 50).

Populationsschätzung

Anhand von Populationsschätzungen lässt sich die Volksentwicklung im Jahreslauf verfolgen. Wille und Gerig entwickelten in Liebefeld diese visuelle Schätzmethode, um die Entwicklung von Bienenvölkern zahlenmässig zu erfassen (16, 21). Dabei wird jede Wabe einzeln aus dem Volk gehoben und die Menge der Brutzellen und der Arbeiterinnen geschätzt. Später werden alle Daten des Volkes zusammengezählt. Um die Volksentwicklung während der gesamten Saison zu berechnen, werden die Völker wiederholt im Abstand von drei Wochen geschätzt (drei Wochen entsprechen der Entwicklungszeit einer Arbeiterin).

Lebenszyklus des Volkes und Massenwechsel

Abb. 87
Brutwaben aus dem Nestzentrum
Oben links: Wabe im März, oder auch September. Breiter Futtergürtel über verdeckelter Brut, Pollenvorräte seitlich.
Oben rechts: April/Mai. Die Königin bestiftet die Wabe in konzentrischen Kreisen.
Rechts: Mai/Juni. Die maximale Brutzellenzahl eines Volkes liegt zwischen 30 000 und 45 000. Aus dieser Wabenseite schlüpfen ungefähr 1100 Bienen.

In der ersten Hälfte der Bienensaison überwiegen die schlüpfenden Bienen, später die sterbenden. Anhand der Populationsschätzung können Schlupf- und Sterberaten berechnet werden.
Tägliche Schlupfrate: Die an einem Schätztermin in den Brutzellen beobachteten Larven und Puppen sollten in den nächsten 21 Tagen schlüpfen. Daraus lässt sich die voraussichtliche, tägliche Schlupfrate berechnen.
Tägliche Sterberate: Würden weder Bienen noch Larven und Puppen sterben, so wüchse das Volk innerhalb eines Schätzintervals um die Zahl der Brutzellen der vorherigen Zählung an. Die mittlere tägliche Sterberate kann somit aus der Differenz der Bienenzahl des aktuellen Schätztermins und der Summe der Bienen und Brutzellen des vorherigen Termins berechnet werden.
Schliesslich kann die Bilanz der Volksentwicklung aus der Differenz von Zuwachs und Abgang berechnet werden. Ist die Bilanz positiv, so wächst das Bienenvolk, ist sie negativ, so nimmt es ab.

3 Lebenszyklus des Volkes und Massenwechsel

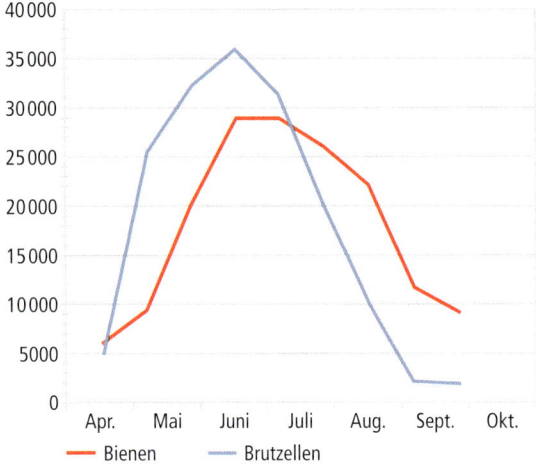

Abb. 88
Brutfläche und Bienenzahl von Frühling bis Herbst
Von April bis Mitte Juni wächst die Brutfläche rasch an, um dann nach Erreichen des Maximums wieder abzunehmen. Die Entwicklung der Bienenzahl verläuft gegenüber der Brutfläche mit einer Verzögerung von rund drei Wochen, der Entwicklungsdauer einer Arbeitsbiene.

Massenwechsel als Gesundbrunnen

Im Verlauf eines Jahres schlüpfen in einem Honigbienenvolk 160 000 – 200 000 Arbeiterinnen. Nach dem zügigen Populationswachstum in der ersten Saisonhälfte schrumpfen die Honigbienenvölker ab Ende Juni wieder und wintern schliesslich mit nur 5000 bis 12 000 Individuen ein (31, 48).

Was uns als gewaltige Verschwendung von Individuen erscheint, hat sich für die Honigbienen seit über 60 Millionen Jahren bewährt. Dank der steten und mehrfachen Erneuerung des Bienenvolkes werden viele Krankheiten in Schach gehalten, denn mit den Bienen sterben auch zahlreiche Erreger. Die Populationsentwicklung scheint einem „inneren Programm" zu folgen und lässt sich durch imkerliche Massnahmen wie Reiz-, Zwischentracht- und Pollenfütterung nicht beeinflussen (32, 49). Ist die Witterung und Tracht schlecht, so können die Völker auch erheblich von ihrem Fahrplan abweichen (1).

Herbst: Vorbereitung für harte Zeiten

Mit dem Aufbau der Futterreserven bereiten sich die Honigbienen bereits im Juni auf den Winter vor. Spätestens beim Ausklingen der Sommertracht werden dann die Drohnen nicht mehr in den Völkern geduldet und aus dem Stock gedrängt (Drohnenschlacht) (→ S. 44).

Bis zum Oktober oder November läuft die Brut langsam aus und die Populationen schrumpfen.

Winterbienen

Schon Ende Juli treten vereinzelt Winterbienen auf. Ihre Zahl nimmt nun stetig zu, und die Sterberate reduziert sich auf ein Minimum.

Winterbienen sind passiv. Sie beteiligen sich nicht an der Brutpflege, und ihre Futtersaftdrüsen bilden sich zurück. Sie übernehmen auch keine anderen Arbeiten im Bienenstock, sondern konzentrieren sich ganz auf den Pollenkonsum. Die Eiweisse dieser Nahrung speichern sie im Fettkörper (→ S. 24) und in der Hämolymphe. Bei der Winterbiene ist der Fettkörper deutlich stärker ausgebildet als bei der Sommerbiene. Während des Winters bleiben die körpereigenen Vorräte weitgehend unangetastet und werden erst im Februar für die Brutaufzucht mobilisiert.

Während die Bienen im Sommer nur wenige Wochen leben, weisen die Winterbienen eine Lebensdauer von mehreren Monaten auf.

Lebenszyklus des Volkes und Massenwechsel

Tab. 5
Vergleich Winter- und Sommerbienen
Winterbienen zeichnen sich aus durch spezielles Verhalten und besondere physiologische Eigenschaften (4, 14, 34).

Eigenschaften	Sommerbienen	Winterbienen
Verhalten		
Stockarbeiten	ja	nein
Brutpflege	ja	nein
Sammelflug	ja	nein
Physiologie		
Juvenilhormon	viel	wenig
Blut-Eiweiss-Gehalt	wenig	viel
Futtersaftdrüse	klein	gross
Fettkörper	klein	gross
Lebensdauer	21–33, max. 70	150–200, max. 232

Auch kurzfristig passen sich Bienen körperlich den äusseren Bedingungen an. Der Fettkörper kann z.B. beim Schwärmen kurzfristig als Speicherorgan dienen, und bei Brutausfall verlängert sich ihre Lebensdauer. So überstehen Bienenvölker Krisenzeiten, ohne dass die Populationen merklich einbrechen.

Noch konnte nicht schlüssig bewiesen werden, was die Umstellung auf die Winterbienen steuert, doch offensichtlich spielen auch hier eine Vielzahl von Faktoren eine Rolle. Besondere Bedeutung kommt dabei dem Juvenilhormon zu. Während des Winters ist die Konzentration des Juvenilhormons in der Hämolymphe der Bienen gering. Erst im Frühjahr nimmt sie zu, das Verhalten der Bienen wandelt sich und ihre Tage sind gezählt. Das Juvenilhormon hat auch andere Aufgaben: es steuert beispielsweise die Arbeitsteilung (13) (→ S. 41).

Durch die Variation von Eiablage, Brutaufzucht und Lebensdauer lenken die Bienen Zu- und Abnahme der Volksstärke. So reagieren sie äusserst flexibel auf die inneren und äusseren Bedingungen.

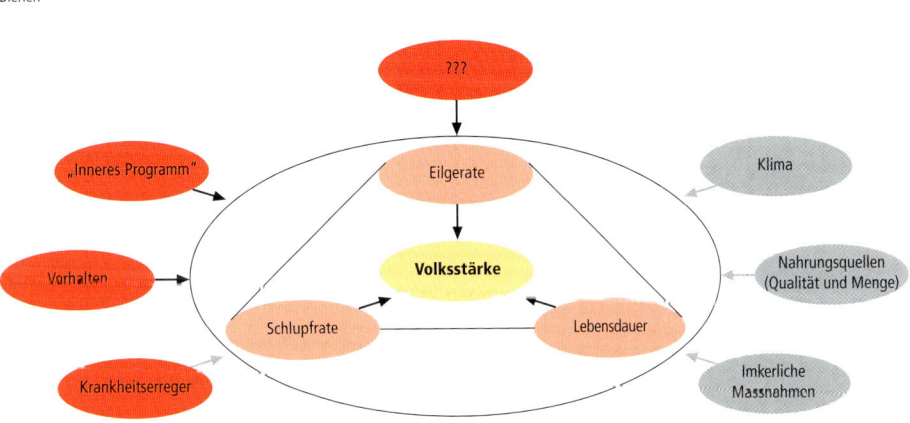

Abb. 89
Regulation der Volksstärke
Durch Modulation von Lebensdauer, Filege- und Schlupfrate können Honigbienen ihre Volksstärke den gegebenen Ansprüchen anpassen.

3 Lebenszyklus des Volkes und Massenwechsel

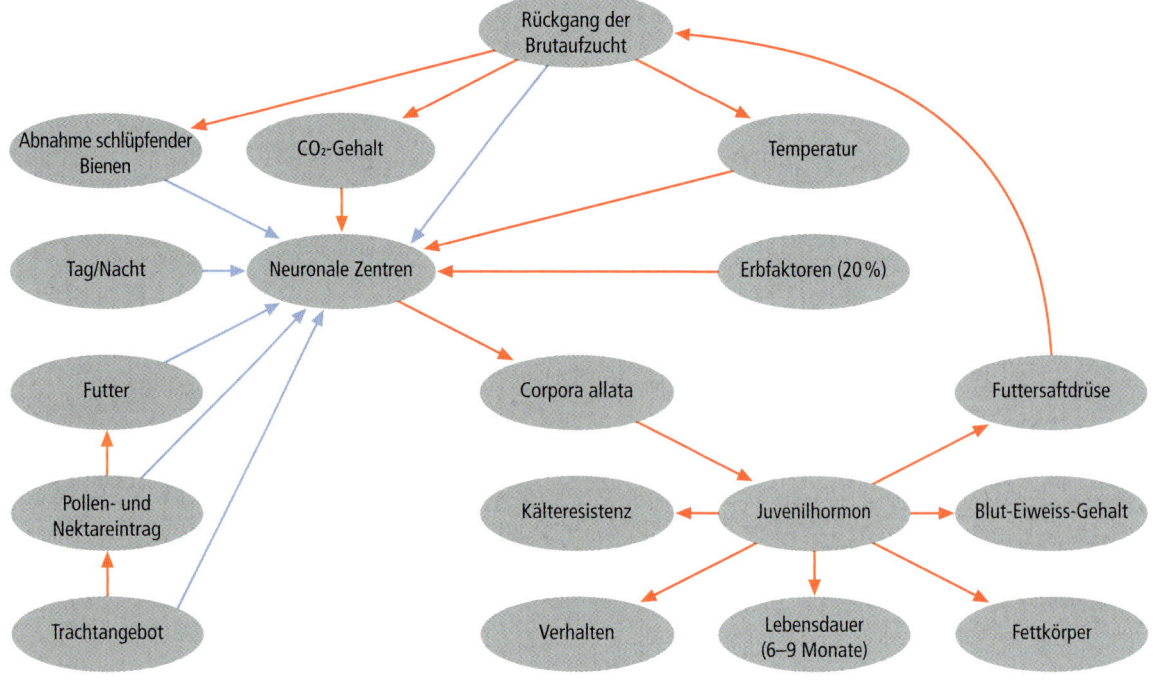

Abb. 90
Umstellung von Sommer- auf Winterbienen
Sie wird durch eine Vielzahl von Faktoren beeinflusst. Bestimmte Reize der Umwelt lösen eine neuronale Kaskade aus, die Impulse zur Corpora allata leitet (34). Diese Hirndrüse gibt das Juvenilhormon ab, das wichtige Eigenschaften der Winterbienen steuert. Neben den Reizen der Umwelt spielen zu etwa 20 % auch erbliche Faktoren eine Rolle.

Wintertraube

Bei sinkenden Aussentemperaturen und abnehmender Tageslänge bildet das Volk schliesslich eine Wintertraube. Die Königin bestiftet kaum noch eine Zelle (18). Die Temperatur in der Wintertraube wird durch deren Dichte, die Dicke des peripheren Bienenmantels und die Wärmeproduktion im Innern reguliert (12). Der Jahreskreis schliesst sich.

4 Lernfähigkeit und Verständigung

Miriam Lehrer

Lernfähigkeit und Verständigung handelt von den Sammlerinnen, jenen Bienen, die sich ab der vierten Lebenswoche bis an ihr Lebensende für die Futterreserven des Volkes einsetzen. Um dieser Aufgabe gerecht zu werden, haben die Honigbienen erstaunliche Fähigkeiten entwickelt.

Abb. 91
Nektar- und Pollensammlerinnen auf Krokusblüte
Die Honigbiene ist blütenstetig, das heisst, sie kehrt immer wieder zur selben Blütenart zurück. Dazu muss sie sich orientieren können.

Abb. 92
Vorspiel auf dem Bienenstand
Bereits nach dem fünften Lebenstag begibt sich die Biene auf Orientierungsflüge, um sich Ort und Lage ihres Stockes einzuprägen. Dazu wendet sie sich nach dem Abflug mit dem Kopf zum Flugloch und schwebt einige Zeit auf und ab und hin und her und zieht immer grössere Flugkreise. Diese Orientierungsflüge werden „Vorspiel" genannt (→ S. 77).

4 Lernfähigkeit und Verständigung

Die Biene ist keine Einzelgängerin, die allein den eigenen Hunger zu stillen sucht. Bei der Futtersuche kann sie sich daher nicht mit Zufallsfunden begnügen. Um möglichst viel Futter zu sammeln, kehrt sie immer wieder an den Ort und zu jener Blütenart zurück, wo sie bereits früher Futter gefunden hat (46). Auf dieser Blütenstetigkeit beruht die grosse Bedeutung der Honigbienen bei der Bestäubung von Nutz- und Wildpflanzen.

Die Orts- und Blütentreue setzen Orientierungsvermögen sowie Lernfähigkeit und ein gutes Gedächtnis voraus. Die Biene muss sich nicht nur die Merkmale der auserwählten Blütenart und deren Standort merken (Nahorientierung), sondern auch den Weg dorthin und zurück (Fernorientierung). Bei der Nahorientierung steht die Biene in Sicht- und Riechkontakt mit ihrem Ziel. Bei der Fernorientierung hingegen muss sie Informationen verwenden, die nicht vom Ziel selbst ausgehen, ihr aber den Weg dorthin weisen.

Doch Sammelbienen finden auch zu einer Futterquelle, an der sie noch nie gewesen sind, weil andere Bienen, die dort waren, zu Hause ausführlich darüber „erzählen", wo sich diese befindet. Dabei bedienen sie sich symbolischer Zeichen, einer eigenen Sprache also. Ihre Fähigkeit, sich mit den Artgenossen zu verständigen, gehört zu den komplexesten Kommunikationsleistungen im Tierreich.

4.1 Lernen im Dienst der Nahorientierung

Die meisten Erkenntnisse über die Nahorientierung der Biene wurden an künstlichen Futterstellen gewonnen. Je nach Fragestellung wird dort neben einer Zuckerlösung ein bestimmter Reiz geboten, beispielsweise ein blaues Dreieck. Jede Biene wird mit kleinen Farbtupfen individuell markiert, damit sie der Beobachter erkennen kann. Die Biene kehrt immer wieder zur Futterstelle zurück und lernt, genau wie bei natürlichen Blumen, den gebotenen Reiz mit dem Futter zu verknüpfen. Nach einer solchen Dressur kann sie wählen zwischen dem erlernten Reiz und einem anderen, der sich von diesem in einem bestimmten Merkmal unterscheidet, beispielsweise in Farbe, Form, Grösse, Helligkeit oder Ausrichtung. Der prozentuale Anteil der Wahlen zu Gunsten des erlernten Reizes (Wahlhäufigkeit, WH) zeigt, wie wirksam das untersuchte Merkmal beim Unterscheiden ist. Eine WH von 50 % bedeutet, dass die Biene zwischen den beiden Reizen nicht zu unterscheiden vermag. Je besser sie differenziert, desto höher liegt die WH über der 50 %-Grenze.

Diese Methode wird auch verwendet, wenn nichtvisuelle Merkmale, wie beispielsweise Duft oder Vibration, untersucht werden.

Visuelle Nahorientierung
Dressurversuche zeigten, dass bei der visuellen Nahorientierung neben Farbe und Form auch die Bildbewegung eine wichtige Rolle spielt.

Farbensehen
Die Netzhaut der Biene weist wie jene des Menschen drei Typen von lichtempfindlichen Zellen auf, die je auf eine bestimmte Lichtwellenlänge (Farbe) hoch sensibel reagieren. Dies wird trichomatisches Farbsystem genannt. Doch während wir blau-, grün- und rotempfindliche Zellen besitzen, sind jene der Biene blau-, grün- und ultraviolettempfindlich (2). Die Bienen sind also rotblind, dafür sehen sie Ultraviolett (UV), eine Farbe, die bei vielen natürlichen Blüten auftritt, vom Menschen aber nicht wahrgenommen wird. Die Bienen sehen deshalb Farben anders als wir (27).

Sie unterscheiden beispielsweise zwischen „Weiss" mit und ohne UV-Reflexion. Letzteres erscheint ihnen farbig. Wir aber empfinden beides gleichermassen als „Weiss". Auch Blau oder Gelb mit und ohne UV sind für die Biene zwei verschiedene Farben. Dies sollten Imkerinnen und Imker beim Anstreichen der Bienenkästen berücksichtigen, wenn sie den Bienen das Erkennen des Heimatstocks erleichtern wollen. Rot darf durchaus eingesetzt werden, doch da es den Bienen schwarz erscheint, darf daneben nicht auch Schwarz benutzt werden. Hingegen lassen sich gut zwei verschiedene weisse, blaue oder gelbe Anstriche verwenden, je einer mit, der andere ohne UV-Anteil.

Abb. 93
Bienen sehen Ultraviolett
Natürliche Blumen, links in Farbe und rechts durch einen Ultraviolett-Filter aufgenommen.
Oben: Spargelerbse; unten: Usambaraveilchen. Die Kronblätter reflektieren Ultraviolett, während Staubblätter und Blütenmale (Nektarmarkierungen) es absorbieren und sich dadurch den Bienen zu erkennen geben.

Abb. 94
Farbunterscheidung
Die erlernte Farbe, jeweils links gezeigt, und eine neue Farbe, rechts, werden zur Wahl geboten. WH ist die Wahlhäufigkeit, mit der eine bestimmte Dressurfarbe besucht wird, n ist die Gesamtzahl der Wahlen. Bienen sehen Farben anders als wir, weil sie rotblind sind, dafür sehen sie Ultraviolett.
a) Für uns sind alle Gelbtöne gut von Grün unterscheidbar, für die Bienen nicht.
b) Während wir Blau und Violett sehr gut voneinander unterscheiden, tun die Bienen das nur mässig. Doch Blau unterscheiden sie, genau wie wir, sehr gut von Gelb, Orange und Grün (c, d und e).

Dressurfarbe **Testfarbe**

a
WH = 47 % (n = 378)

b
WH = 59 % (n = 240)

c
WH = 89 % (n = 241)

d
WH = 97 % (n = 267)

e
WH = 89 % (n = 222)

Formensehen

Das räumliche Auflösungsvermögen der Biene ist bei weitem nicht so ausgeprägt wie das unsere. Trotzdem nutzt die Biene bei der Nahorientierung eine ganze Reihe von Formmerkmalen:
a) die Ausrichtung der Konturen (43)
b) den Grad der Gliederung
c) den Grad der Symmetrie
d) den Typ der gebotenen Muster (28)

Die Form spielt jedoch bei der Nahorientierung eine geringere Rolle als die Farbe. Solange ein Reiz die erlernte Farbe zeigt, kann er von der erlernten Form abweichen.

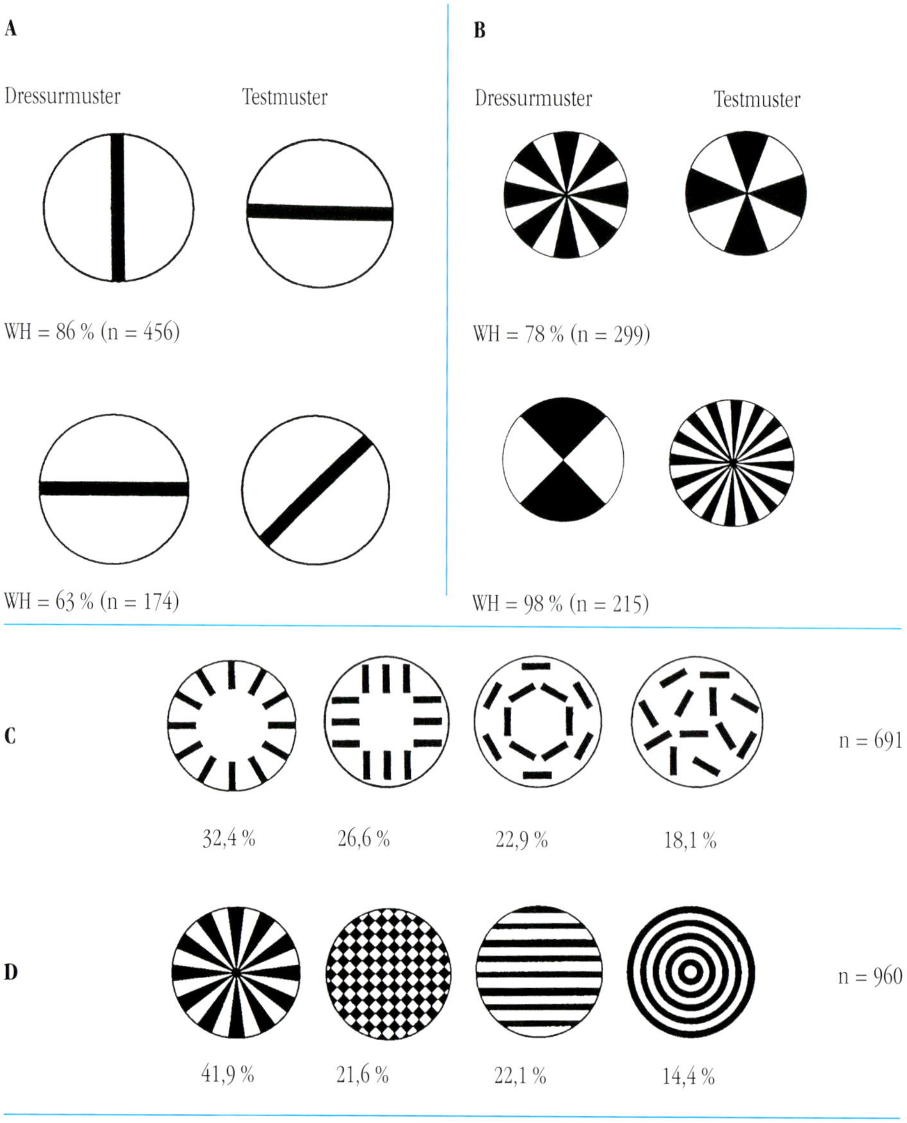

Abb. 95
Formunterscheidung
Das untersuchte Merkmal in A ist die Ausrichtung der Konturen, in B der Grad der Gliederung, in C der Grad der Symmetrie, in D der Mustertyp. In A und B wurden die Bienen jeweils auf das links gezeigte Muster dressiert. In C und D bekamen sie die Wahl zwischen den vier gezeigten Mustern, ohne zuvor auf eines davon dressiert worden zu sein. WH bedeutet Wahlhäufigkeit.

Lernfähigkeit und Verständigung

Bewegungssehen

Im Gegensatz zur räumlichen Auflösung ist das Auflösungsvermögen für Bewegung bei den Bienen sehr viel besser als beim Menschen (41). Ein Film müsste viermal schneller als gewöhnlich laufen gelassen werden, damit die Biene die aufeinander folgenden Bilder nicht einzeln wahrnimmt. Das erklärt, warum die Biene zwischen verschieden gegliederten Figuren zu unterscheiden vermag: Eine stark gegliederte Figur bewirkt auf dem Auge der fliegenden Biene eine schnellere Abfolge von Hell-Dunkel-Wechsel (oder Farbwechsel) als eine weniger stark gegliederte Figur.

Das Bewegungssehen dient der Biene auch, um die Entfernung von Objekten zu bestimmen (26): Ein nahes Objekt bewegt sich schneller auf dem Auge als ein weiter entferntes. Um Entfernungen zu schätzen, bedient sich der Mensch des dreidimensionalen (stereoskopischen) Sehens, das den Bienen jedoch fehlt.

Orientierungsflüge

Am Futterplatz ist es kein Unglück, wenn die Biene einmal die „falsche" Blume wählt. Fliegt sie jedoch den falschen Stock an, so kann das fatal enden. Die Merkmale des Stockes und seiner Umgebung müssen deshalb erlernt werden, bevor sich die angehende Sammlerin auf längere Ausflüge wagen kann. Deshalb begibt sie sich bereits ab dem fünften Lebenstag auf Orientierungsflüge. Sofort nach Verlassen des Stockes wendet sich die Biene dem Stockeingang zu und schwebt davor mehrere Sekunden lang auf und ab und hin und her, um sich anschliessend, in immer grösser werdenden Kreisen, vom Stock zu entfernen.

Ähnliche Orientierungsflüge vollführen Sammlerinnen, wenn sie eine neu entdeckte Futterstelle verlassen (25). Dort können wir sie leichter beobachten als am Stockeingang.

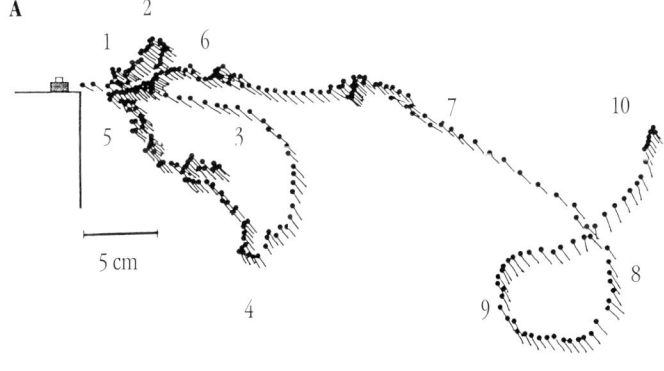

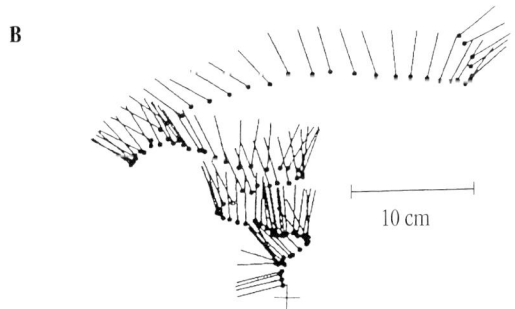

Abb. 96
Orientierungsflug
Bild-für-Bild-Auswertung einer Videoaufnahme einer Biene beim Verlassen der Futterstelle, von der Seite A und von oben B aufgezeichnet. Die schwarzen Punkte bezeichnen die Position des Kopfes, die Striche die Ausrichtung der Körperlängsachse der fliegenden Biene. In A ist die Flugstrecke alle paar Bilder nummeriert, um ihren Verlauf aufzuzeigen. Die Biene hat an dieser Futterstelle zum ersten Mal gefuttert. Sobald sie diese verlässt, wendet sie ihren Kopf der Futterstelle zu und inspiziert die Umgebung, bevor sie sich auf den Heimweg macht. Bienen, die an der Durchführung eines solchen Orientierungsflugs gehindert worden sind, finden die Futterstelle nicht wieder (25).

4 Lernfähigkeit und Verständigung

Zahlreiche Versuche haben gezeigt, dass die Biene dabei Farbe und Form der Futterstelle sowie deren Lage bezüglich naher Landmarken erlernt. Das ermöglicht ihr, das Ziel beim nächsten Anflug wieder zu erkennen (→ S. 81).

Chemische Orientierung

Im Dunkel des Stockes, wo visuelle Reize fehlen, spielen Gerüche eine hervorragende Rolle (→ S. 26). Der Geruchssinn ist auch bei der Nahorientierung im Freien bedeutend. Aufgrund des volkseigenen Geruches findet die Biene zum Heimatstock zurück. Auch an einer künstlichen Futterstelle lassen sich die Bienen leicht auf einen bestimmten Duft dressieren, den sie anschliessend etwa ebenso gut wie wir von anderen Düften unterscheiden. Der Duft ist bei der Nahorientierung sogar wichtiger als die Farbe.

Magnetische Orientierung

Ein magnetischer Sinn ist uns Menschen derart fremd, dass wir seine Existenz häufig bezweifeln. Doch es wurde einwandfrei nachgewiesen, dass verschiedene Tiere, darunter zahlreiche Insekten, Richtung und Stärke des Erdmagnetfeldes wahrnehmen. Beim Beobachten von Wabenbau und Tanz entdeckten Forscher schon früh den magnetischen Sinn der Biene. An der Futterstelle lassen sich die Bienen auf ein künstliches Magnetfeld dressieren (45). Es ist denkbar, dass die Bienen die Futterstelle dank des Magnetfeldes immer aus derselben Richtung anfliegen und so das Zielgebiet leichter wieder erkennen (6).

Ein magnetisches Sinnesorgan wurde bisher bei keinem Tier gefunden, wohl aber winzige Eisenpartikel, die sich nach dem Magnetfeld ausrichten. Solche Eisenpartikel finden sich auch im Körper der Bienen.

Andere Sinnesleistungen

Tast- und Vibrationssinn sind entscheidend bei der Orientierung im Stockinnern. Im Freien richtet sich die Biene nicht nach solchen Reizen, sie kommen allenfalls auf der Wabe zum Tragen. Dasselbe gilt für den Geschmackssinn, der allein die Qualität des Futters beurteilt (→ S. 27).

4.2 Lernen im Dienst der Fernorientierung

Über grössere Distanzen kann ein bestimmtes Ziel nur gefunden werden, wenn dessen Richtung und Entfernung bekannt ist. Woher bezieht die Biene diese Informationen?

Richtungsinformation

Wir Menschen verwenden einen Kompass, dessen Nadel stets nach Norden weist, und bestimmen jede Richtung anhand ihrer Abweichung von Norden. Auch die Bienen benutzen einen Kompass, den sie allerdings nicht im Gepäck tragen.

Sonnenkompass und der Zeitsinn der Bienen

Der Kompass der Bienen ist die Sonne. Doch während unsere Kompassnadel konstant nach Norden gerichtet ist, verändert sich der Sonnenstand im Laufe des Tages. Der Winkel zwischen Ziel und Sonne hängt daher von der Tageszeit ab. Mit anderen Worten, die Biene muss sowohl den Tagesverlauf der Sonnenbahn wie auch die aktuelle Tageszeit kennen. Den Verlauf der Sonnenbahn erlernt die Biene schon früh aufgrund der Veränderungen der räumlichen Beziehung zwischen dem Standort der Sonne und dem Standort von stationären Landmarken wie Berge, Wälder, Häuser (9).

Lernfähigkeit und Verständigung

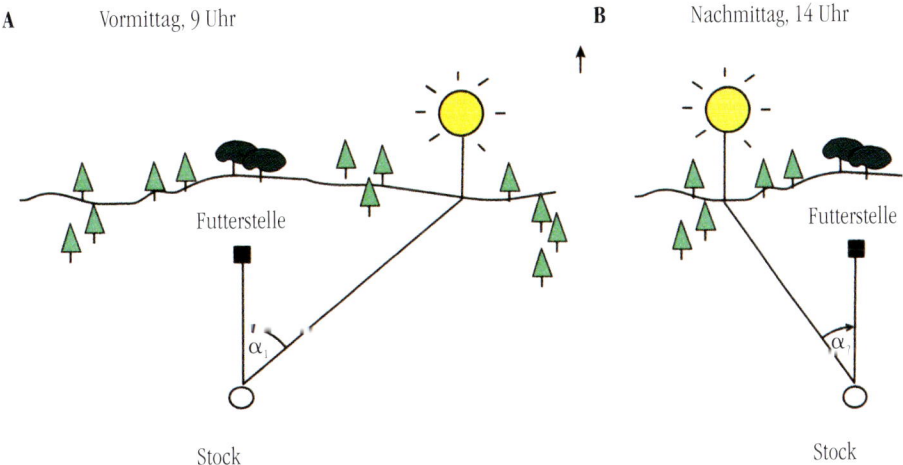

Abb. 97
Sonnenkompass
Im gezeigten Beispiel liegt die Futterstelle nördlich vom Stock. Das bedeutet, dass die Biene um 9 Uhr vormittags einen bestimmten Winkel $\alpha 1$ links von der Sonne ansteuern muss, um 14 Uhr aber einen Winkel $\alpha 2$ rechts von der Sonne. Doch sie muss immer die korrekte Richtung (Norden) wählen, d. h. die Beziehung zwischen Sonnenstand und Tageszeit muss der Biene bekannt sein.

Die Information über die Tageszeit liefert ihr die „innere Uhr", ein angeborener Zeitmesser, den viele Tiere besitzen. Der ausgeprägte Zeitsinn der Bienen wurde unter anderem in Versuchen nachgewiesen, bei denen Bienen mühelos gelernt haben, zu einer ganz bestimmten Tageszeit an der künstlichen Futterstelle zu erscheinen oder aber am Vormittag eine bestimmte Futterstelle und am Nachmittag eine andere zu besuchen (33).

Orientierung nach dem polarisierten Himmelslicht

Was aber, wenn die Sonne verdeckt ist, beispielsweise von Wolken, Bergen oder durch eine experimentelle Vorrichtung? Da reicht zur Orientierung ein kleiner Ausschnitt blauen Himmels, denn das von der Atmosphäre gestreute Sonnenlicht erzeugt am Himmel ein typisches Muster von polarisiertem Licht. Dieses ist vom Sonnenstand abhängig, für uns Menschen jedoch unsichtbar.
Aus dem Polarisationsmuster kann die Biene nämlich den Sonnenstand ablesen (38, 47). Nur bei vollständiger Bewölkung lässt sich der Sonnenstand nicht mehr bestimmen (9).

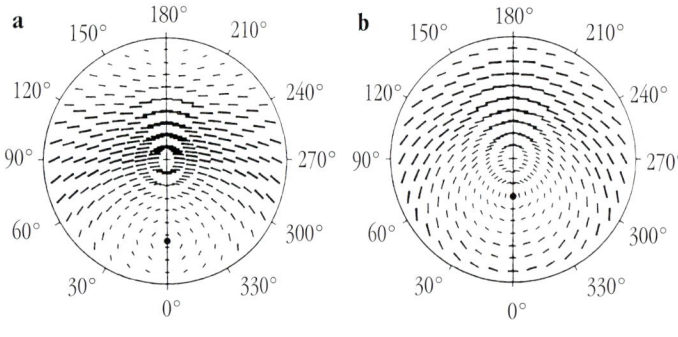

Sonne 25° über den Horizont

Sonne 60° über den Horizont

Abb. 98
Bienen sehen polarisiertes Licht
Das Polarisationsmuster und seine Abhängigkeit vom jeweiligen Sonnenstand a und b. Die Sonne ist jeweils durch die kleine schwarze Scheibe symbolisiert. Die Himmelskuppel ist als eine flache Scheibe dargestellt. Die Biene befindet sich in der Mitte der Basis dieser Himmelskuppel. Die Striche bezeichnen die Schwingungsrichtungen des polarisierten Sonnenlichtes (47).

Erlernen der Länge der Flugstrecke

Wie zahlreiche Versuche zeigen, kennen Bienen die Entfernung ihres Zieles recht genau. Lange Zeit wurde angenommen, dass die Biene die Länge der Flugstrecke mit Hilfe der Futtermenge misst, die sie dabei verbraucht. Später sind Zweifel an dieser Theorie aufgekommen. Heute gilt es als erwiesen, dass die Bienen die Flugstrecke mittels Bewegungsreizen bestimmen (11, 26), was allerdings nur in Verbindung mit dem Zeit-

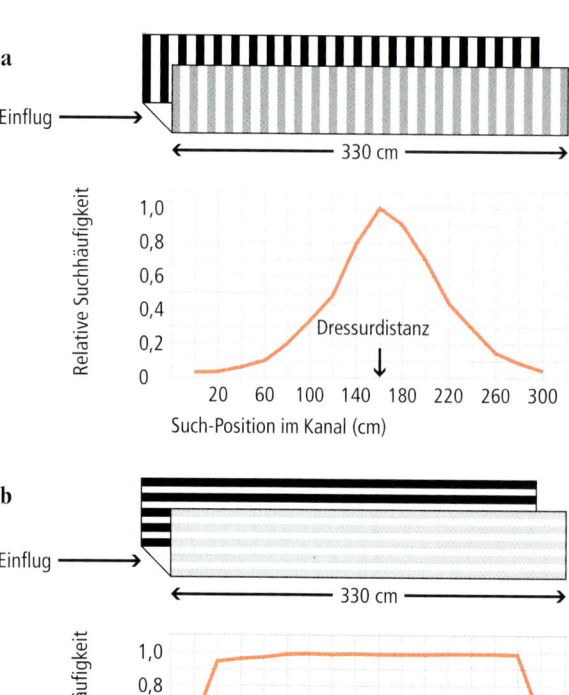

Abb. 99
Bienen erkennen die Länge der Flugstrecke
Dazu verwenden sie die Bildbewegung während der Flugzeit.
Während der Dressur stand das Futtergefäss an einer bestimmten Stelle (Pfeil) in einem Kanal, dessen Seitenwände mit einem senkrechten a oder einem waagerechten Streifenmuster b verkleidet waren.
Das Fliegen im Kanal erzeugt Bildbewegung nur im Fall a, nicht aber im Fall b. In den Tests, in Abwesenheit des Futtergefässes, suchten die Bienen in der korrekten Entfernung im Fall a, nicht aber im Fall b (42).

sinn möglich ist. Auf der Flugstrecke bewegen sich visuelle Marken mit einer bestimmten Geschwindigkeit über das Auge. Die Länge der Strecke ergibt sich aus der Multiplikation von Geschwindigkeit und Zeit, die für die Strecke aufgewendet wurde. Um diese zu berechnen, braucht die Biene keine mathematischen Kenntnisse. Es reicht, wenn bestimmte Zellen im Gehirn die beiden Informationen gleichzeitig erhalten und sie auf geeignete Weise miteinander verknüpfen.

Orientierung nach Landmarken

Eine Biene, die bereits mehrmals zur Futterstelle geflogen ist, braucht weder Kompass noch genaue Entfernungsangabe. Unterwegs hat sie verschiedene Landmarken kennen gelernt. Diese folgen sich in bestimmter Weise und führen die Biene zum Ziel. Konkurrieren sich Kompass und Landmarken, so gewinnen stets die Landmarken (9).

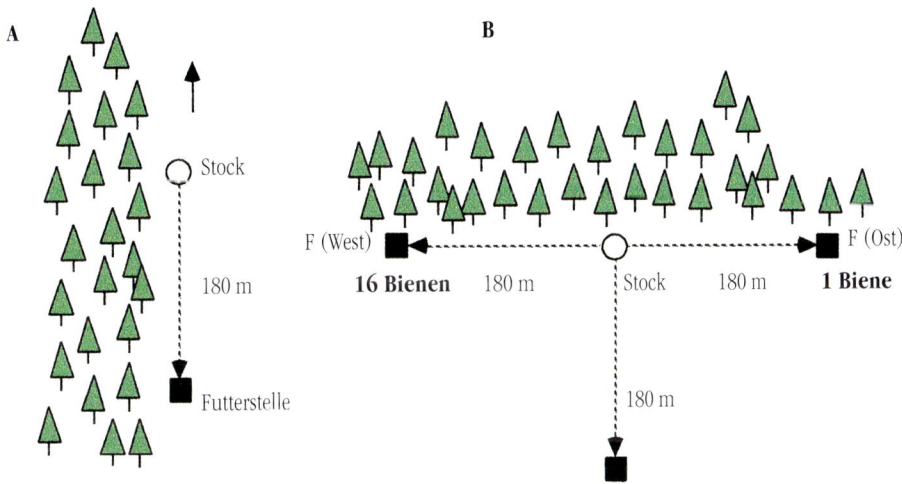

Abb. 100

Dominanz von Landmarken über den Sonnenkompass

Bienen wurden über mehrere Tage einem Waldrand entlang zu einer Futterstelle dressiert, die südlich vom Stock stand A. Der Stock wurde dann an einen anderen Ort gebracht, wo der Waldrand in Richtung West-Ost verlief B. Südlich, östlich und westlich vom neuen Standort wurde je eine Futterstelle errichtet, an der jede ankommende Biene registriert wurde. 16 der 22 registrierten Bienen kamen an der westlichen Futterstelle an, d.h. sie hielten sich nicht an die Kompassrichtung, sondern an den Waldrand.

4.3 Sprache der Bienen

Über tanzende Bienen haben Imker bereits in früheren Jahrhunderten wiederholt berichtet. So schrieb der deutsche Imker N. Unhoch in seiner „Anleitung zur Bienenhaltung" 1828:
„Es wird manchem lächerlich, ja wohl gar unglaublich scheinen, wenn ich behaupte, dass auch die Bienen, wenn anders der Stock in gutem Stand ist, gewisse Lustbarkeiten und Freuden unter sich haben, dass sie sogar auch nach ihrer Art zuweilen einen gewissen Tanz anstellen. (...) Was eigentlich dieser Tanz bedeuten soll, kann ich noch nicht erklären; ob es vielleicht eine muthige

4 Lernfähigkeit und Verständigung

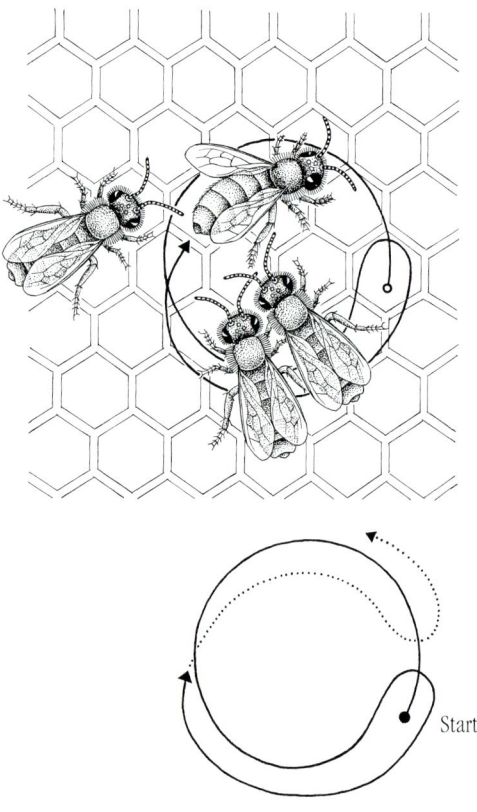

Abb. 101
Rundtanz

Vortänzerin (= Nektarsammlerin) oben, Nachtänzerinnen (= Stockbienen) links und unten.
Diese Tanzform vollführt die Biene, wenn die Futterstelle im Umkreis von 30 bis 80 m vom Stock liegt (diese Entfernung variiert von Bienenrasse zu Bienenrasse). Der Rundtanz schickt die Nachtänzerinnen auf Futtersuche in der nahen Umgebung des Stockes, wo die Wahrscheinlichkeit gross ist, die Futterquelle auch ohne Kenntnis ihrer genauen Lage zu finden.

Freude und Aufmunterung unter ihnen selbst ist, oder ob es aus einem anderen noch unbekannten Zweck geschieht, das muss die Zukunft lehren."

Und die Zukunft hat es uns gelehrt: Tänzerinnen informieren die anderen Bienen im Stock; genauer, sie werben für die Futterstelle, von der sie soeben zurückgekehrt sind. Die Entschlüsselung der Tanzsprache war das Lebenswerk des Nobelpreisträgers Karl von Frisch (1886–1982). Sie ist eines der faszinierendsten Kapitel der Verhaltensbiologie.

Da die Tänze in der Regel im finsteren Stock stattfinden, vermitteln sie die Informationen allein über taktile, akustische und chemische Reize. Die Sammlerinnen nehmen über die Fühler Kontakt auf mit den Tänzerinnen, die sie interessieren, und folgen diesen auf Schritt und Tritt. Sie werden auch „Nachtänzerinnen" genannt.

Tanzformen

Der Tanz weist zwei Grundformen auf, je nach Entfernung der Futterstelle vom Stock. Es gibt auch verschiedene Übergangsformen.

Rundtanz

Mit dem Rundtanz wirbt die Tänzerin für eine Futterquelle, die im nahen Umkreis des Stockes liegt. Die Biene beschreibt dabei einen engen Kreis, den sie mehrmals durchläuft, abwechslungsweise im Uhrzeiger- und Gegenuhrzeigersinn.

Schwänzeltanz

Wenn die Futterstelle weiter entfernt liegt, ersetzt der Schwänzeltanz den Rundtanz. Die tanzende Biene läuft dabei eine kurze Strecke geradeaus, kehrt in einem Bogen zum Ausgangspunkt zurück, wiederholt die gerade Strecke, beschreibt einen Bogen

Lernfähigkeit und Verständigung

nach der anderen Seite, läuft wieder geradeaus usw. Während des geraden Laufes schwenkt die Biene rhythmisch den Hinterleib, sie vollführt so genannte Schwänzelbewegungen. Die gerade Laufstrecke wird auch „Schwänzelstrecke" genannt. Gleichzeitig erzeugt die Tänzerin mit ihrer Brustmuskulatur ein hörbares Schnarren, das die Nachtänzerinnen vermutlich über die Füsse als Vibration wahrnehmen. Neuere Versuche deuten darauf hin, dass die Laute als Schallwellen durch die Luft übertragen und von einem Hörorgan aufgenommen werden. Dieses liegt wahrscheinlich im Fühlergelenk (22).

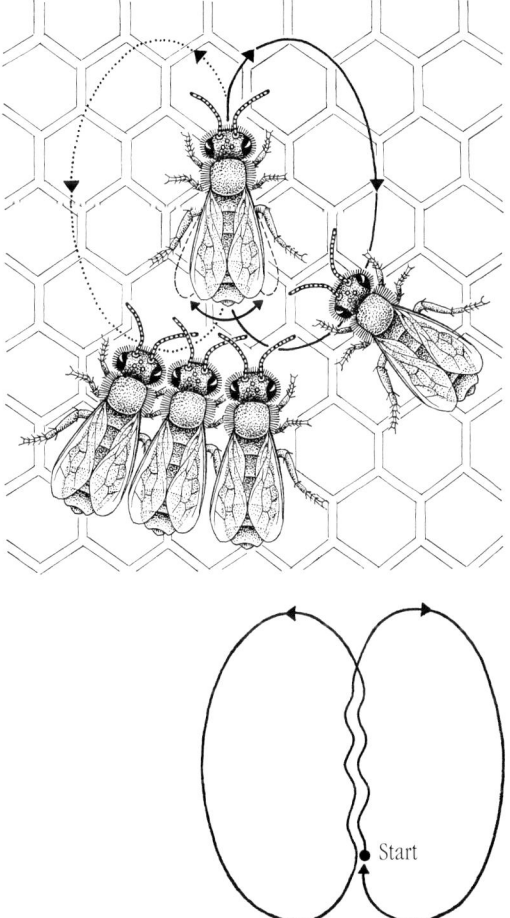

Abb. 102
Schwänzeltanz
Vortänzerin (= Nektarsammlerin) oben, Nachtänzerinnen (= Stockbienen) unten.
Diese Tanzform vollführt die Biene, wenn die Futterstelle weiter entfernt vom Stock liegt. Die gerade, durch rhythmische seitliche Schwenkungen gekennzeichnete Strecke beinhaltet Informationen über die genaue Lage der Futterstelle.

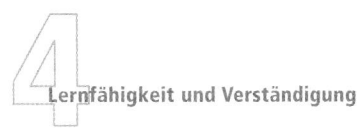
4 Lernfähigkeit und Verständigung

Informationen aus dem Tanz

Beide Tanzformen zeigen, dass die Tänzerin gerade von einer ergiebigen Futterstelle kommt. Ausserdem verrät die Tänzerin den Duft der gefundenen Blüten, denn dieser haftet an ihrem Haarkleid. Die Tänzerin unterbricht auch hin und wieder den Tanz, um Proben des mitgebrachten Futters zu verteilen. Daraus entnehmen die Nachtänzerinnen den Geschmack und den Zuckergehalt des Futters. Und schliesslich informiert der Schwänzeltanz über Richtung und Entfernung der Futterstelle. Der Rundtanz hingegen gibt die Lage der Futterstelle nicht an.

Richtungsweisung

Der Winkel zwischen Futterquelle und Sonnenstand gibt die Richtung an. Dieser Winkel bezieht sich auf die waagerechte Ebene. Der Tanz aber findet auf der senkrechten Wabe statt. Um die Richtung anzugeben, muss die Biene also die waagerechte Ebene auf die senkrechte Ebene übertragen, was eine beachtliche Leistung darstellt.

Der wichtigste Satz in der Bienensprache lautet: „Die Sonne ist oben." Die Richtung der Futterquelle in Bezug auf die Position der Sonne ist verschlüsselt in der Richtung der Schwänzelstrecke bezüglich der Richtung nach „oben". Die Nachtänzerinnen verste-

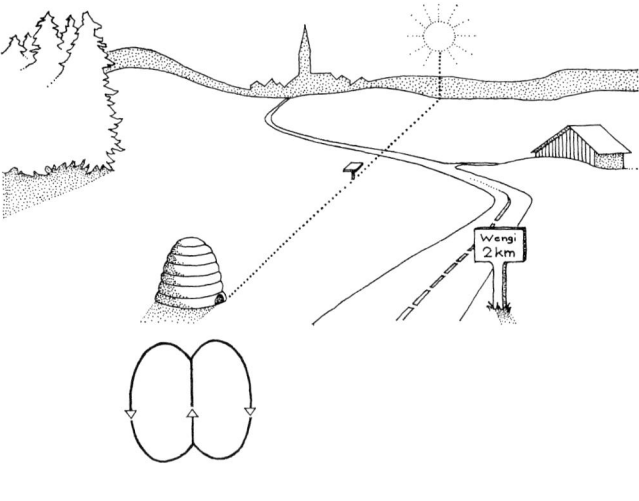

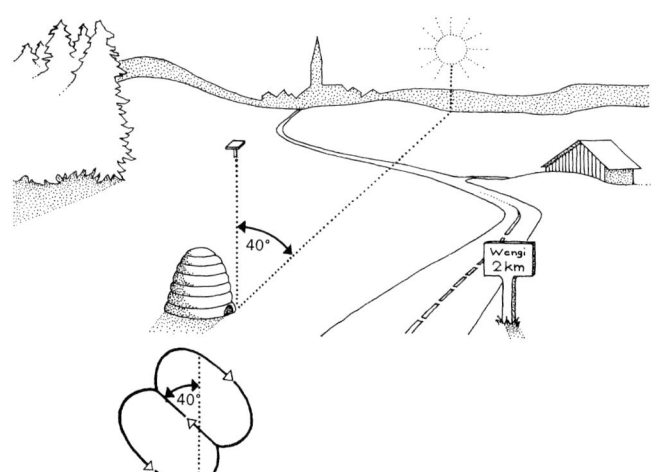

Abb. 103

Informationen des Schwänzeltanzes

Im Schwänzeltanz verschlüsselte Richtungsinformation: Die Schwänzelstrecke übersetzt die Richtung zur Sonne in einen nach oben gerichteten Lauf auf der Wabe.

Wenn die Schwänzelstrecke auf der Wabe nach oben weist, so bedeutet das in der Bienensprache: „Die Futterquelle liegt in Richtung der Sonne" (Bild oben).

Weist die Schwänzelstrecke auf der Wabe nach unten, so liegt der Futterplatz in entgegengesetzter Richtung von der Sonne.

Dazwischen liegende Richtungen werden durch die Abweichung der Schwänzelstrecke von der Senkrechten (nach rechts oder nach links) angezeigt. Dieser Winkel entspricht der Abweichung zwischen Futterplatz und Sonnenstand (Bild unten).

hen die Nachricht gut, denn im Versuch erreichen sie eine Futterstelle, die in der angezeigten Richtung liegt. Sie fliegen aber nicht auf andere mögliche Futterstellen, die in andern Richtungen liegen.

Um die Richtung „nach oben" und jede Abweichung davon zu bestimmen, braucht die Biene ein Sinnesorgan, das die Schwerkraft wahrnimmt. Dieses besteht aus Borstenfeldern an den gelenkigen Verbindungen zwischen Kopf und Brust sowie zwischen Brust und Hinterleib (→ Abb. 37, S. 28). Wenn die Biene nach oben gerichtet ist, verteilt sich das Gewicht von Kopf und Brust gleichmässig auf allen Borsten. Bei jeder Abweichung von dieser Achse werden Kopf und Hinterleib aus dem Lot gebracht und die rechte und linke Hälfte der Borstenfelder asymmetrisch gereizt. Der Stärke dieser Reizung entnimmt die Biene den Winkel zwischen ihrer Körperausrichtung und der Schwerkraft.

Zuweilen tanzt die heimgekehrte Biene unmittelbar nach der Landung auf dem Anflugbrett, auf einer waagerechten Fläche also, mit freiem Blick zum Himmel. In diesem Fall weist die Schwänzelstrecke direkt in Richtung der Futterstelle. Auch hier orientiert sich die Biene nach der Sonne. Dasselbe beobachten wir bei Tänzen, die auf der Oberfläche des Schwarms stattfinden. Dort werben die Kundschafterinnen für eine neue Nistmöglichkeit.

Entfernungsweisung

Wie bereits erwähnt kennen die Bienen die Entfernung des Futterplatzes recht genau. Diese Information gibt die tanzende Biene an die Nachtänzerinnen weiter. Die Entfernung des Futterplatzes ist im Tanztempo verschlüsselt, das heisst in der Anzahl Schwänzelstrecken, die pro Zeiteinheit durchlaufen werden: Der Tanz ist umso schneller, je näher die Futterquelle liegt.

Die Nachtänzerinnen verstehen auch diese Nachricht gut, denn von einigen in derselben Richtung aufgestellten Futterstellen fliegen sie bevorzugt diejenige an, die in der von der Tänzerin angezeigten Entfernung liegt.

Abb. 104
Richtungsweisung der Bienen nach dem Sonnenstand
Die Biene tanzt auf einer waagerechten Unterlage (Flugbrett).

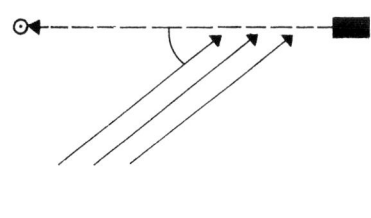
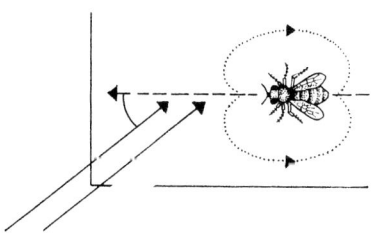

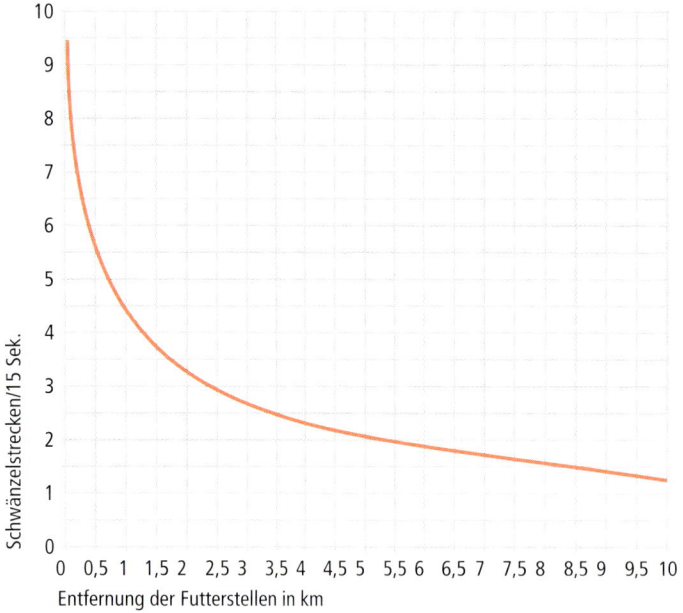

Abb. 105
Entfernungsweisung
Die Entfernung der Futterstelle ist im Tanztempo verschlüsselt. Der Tanz ist umso langsamer, je weiter entfernt die Futterquelle liegt. So werden z. B. bei einer Entfernung von 100 m zehn Schwänzelstrecken pro 15 Sekunden durchlaufen, bei 500 m sechs, bei 1500 m vier und bei 5000 m nur zwei.

4.4 Muss alles gelernt sein?

Die effiziente Verwendung bestimmter Reize bedarf zweifelsohne einer Gedächtnisleistung. Eine bestimmte Blume wird nur dann wieder erkannt, wenn sich die Biene zuvor deren Farbe, Form und Duft eingeprägt hat. Dasselbe gilt für das Erlernen der Landmarken, Kompassrichtung und Entfernung des Ziels. Doch die Speicherkapazität eines Hirns, das so klein ist wie das der Biene, hat Grenzen. Es wurde mehrmals gezeigt, dass manche Verhaltensweisen nicht auf Erfahrungen beruhen, sondern vielmehr angeboren sind. Diese basieren auf festen Nervenverbindungen, die auf bestimmte Reize gewisse Reaktionen auslösen. So bevorzugen die Bienen beispielsweise konturenreiche Figuren gegenüber konturenarmen, sie ziehen symmetrische Figuren asymmetrischen vor, sie wenden sich spontan einem sich bewegenden Objekt zu, sie landen bevorzugt auf markanten Stellen im Vordergrund (z. B. eine Blüte) und folgen auch im freien Flug den Konturen (z. B. Waldrändern), all das unabhängig von einer vorangegangenen Dressur. Auch Wabenbau und Tanzsprache sind nicht an Erfahrung gebunden, diese Talente werden der Biene in die Wiege gelegt. Die Lernfähigkeit ist demnach nur eines der Mittel, mit denen die Natur das Tier mit den bestmöglichen Überlebenschancen ausgestattet hat.

Karl von Frisch sagte einst: „Das Leben der Bienen ist wie ein Zauberbrunnen: Je mehr man daraus schöpft, umso reicher fliesst er."

5 Krankheiten und Abwehrmechanismen

Miriam Herrmann
Peter Fluri

Das Bienenvolk ist den Krankheitserregern nicht hilflos ausgeliefert, sondern verfügt über verschiedene Abwehrmechanismen, die wie Barrieren wirken. Erst nachdem ein Erreger diese durchbrochen hat, kann er krankmachen. Massnahmen gegen Krankheiten: → Band „Imkerhandwerk", S. 103f.

Abb. 106
Putztrieb
Über Nacht haben die Bienen Kalkbrutmumien aus den Zellen geschafft und bis vors Flugloch getragen (→ S. 96f.). Der Putztrieb, das Hygieneverhalten, gehört zu den wichtigsten Abwehrmechanismen gegen Krankheiten und Schädlinge im Bienenvolk.

Abb. 10/
Natürliches Antibiotikum
Propolis (Kittharz), das von den Bienen auf den Knospen von Pappeln, Birken, Kastanien u. a. gesammelt wird, hemmt das Wachstum von Mikroorganismen im Bienenstock (→ Band „Bienenprodukte", S. 65f.).

5 Krankheiten und Abwehrmechanismen

5.1 Was heisst krank?

Ein Bienenvolk wird als krank bezeichnet, wenn lebenswichtige Vorgänge gestört sind, wie zum Beispiel die Brutanlage und Brutpflege, der Wabenbau, die Verteidigung oder der Eintrag von Nektar, Honigtau, Pollen und Wasser.

Bei einer Infektion (Ansteckung) dringen Krankheitserreger von aussen in das Blut der Biene (Hämolymphe) sowie in Gewebe und Organe ein. Krankheitserreger sind Parasiten wie Bakterien, Viren, Pilze, Einzeller, Würmer, Milben oder Insekten. Diese entziehen der Biene Nährstoffe, zerstören deren Körperzellen oder geben giftige Stoffwechselprodukte ab. Dadurch wird die Biene geschädigt und krank gemacht. Eine Krankheit kann akut oder chronisch verlaufen. Ein akuter Verlauf ist plötzlich, heftig und von kurzer Dauer. Ein chronischer Verlauf entwickelt sich langsam, und die Symptome treten nicht unmittelbar nach der Infektion auf. Auf eine Krankheit folgt Heilung, Behinderung oder Tod.

Nicht nur Infektionskrankheiten beeinflussen den Gesundheitszustand eines Bienenvolkes; eine Krankheit bricht oft erst aus, wenn sie mit mehreren ungünstigen Faktoren zusammentrifft.

Wenn die Krankheitserreger viele Bienen befallen, einen gewissen Schwellenwert überschreiten, deren Organe schädigen und sich vermehren, ist die Gesundheit des gesamten Volkes gefährdet.

Bedingungen für Mikroorganismen

Im Bienenkasten herrschen eine hohe relative Luftfeuchtigkeit und konstante Temperatur (→ S. 54). Die Mikroorganismen sind ausgezeichnet an das Stockklima angepasst. Ihre Übertragung, Vermehrung und ihr Stoffwechsel sind auf die Lebensform der Bienen abgestimmt. Das dichte Zusammenleben und der Nahrungsaustausch der Bienen begünstigen die Übertragung von Mikroorganismen. Deren Ausbreitung wird erleichtert durch Räuberei, Verflug und Sammeltätigkeit der Bienen.

Gesund oder krank – eine Frage des Gleichgewichts

Krankheitserreger bevölkern jedes Bienenvolk. Sie schädigen das Volk aber nur, wenn sie sich aufgrund ungünstiger Bedingungen stark vermehren und das Gleichgewicht stören.

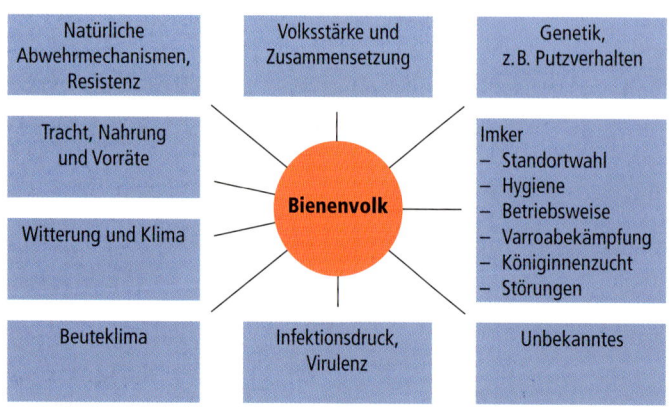

Abb. 108

Faktoren, die für den Gesundheitszustand des Bienenvolkes bedeutend sind

Krankheiten und Abwehrmechanismen

Viele Krankheitserreger und Bienen konnten sich vermutlich im Laufe der Evolution aneinander anpassen. Doch in neuster Zeit ist dies nicht mehr überall gewährleistet. Zum Beispiel ist die Varroamilbe *(Varroa destructor)* in den 80er Jahren auf die Europäische Honigbiene *(Apis mellifera)* übergesprungen. Seither konnte sich noch kein Gleichgewicht zwischen Wirt und Parasit einstellen. Setzt der Imker kein geeignetes Behandlungskonzept zur Bekämpfung der Varroamilbe ein, sterben seine Völker innerhalb weniger Jahre. Ausgewogen ist hingegen die Wirt-Parasit-Beziehung zwischen dem ursprünglichen Wirt, der Asiatischen Honigbiene *(Apis cerana)*, und der Varroamilbe. Die Asiatische Honigbiene entfernt beispielsweise die Milben aus der Arbeiterinnenbrut. Zudem sind bestimmte Varroastämme gebietsweise weniger virulent als bei uns. (24)

Die Rolle des Imkers

Der Imker kann die Gesundheit der Bienenvölker unterstützen. Dabei spielt die Wahl des Standorts eine grosse Rolle. Wichtig ist ausreichende Tracht, damit die Völker genügend Futterreserven anlegen können. Auch Hygiene, Betriebsweise, Bekämpfungskonzepte und Königinnenzucht sind bedeutend.

Abb. 109
Imker
Nach seinem Gutdünken kann der Imker jede beliebige Wabe umhängen, austauschen oder entfernen, was für ihn sehr praktisch ist. Doch für das Bienenvolk entsteht dadurch Stress, und die Gefahr, dass Krankheiten verbreitet werden, nimmt zu.

5.2 Abwehr durch Verhalten

Schwärmen

Viele Krankheitserreger, wie zum Beispiel Faulbrutsporen, lässt der Schwarm im Muttervolk zurück. Der neu gegründete Bienenstaat baut in der Natur frische Waben, die frei von Erregern sind.
Auch auf das Muttervolk kann das Schwärmen reinigend wirken. Die junge Schwarmkönigin legt erst Eier, wenn die Brut ihrer Mutter, der vorgängigen Königin, geschlüpft ist. Mit dem Brutstopp wird auch die Vermehrung gewisser Krankheitserreger (z. B. Varroamilben) unterbrochen.

Hygieneverhalten

Die Putzbienen reinigen die Zellen. Sie entfernen Fremdkörper, Gemüll, tote Bienen sowie beschädigte und tote Brut aus dem Stock. Grosse Fremdkörper, wie beispielsweise eine tote Maus, mumifizieren sie mit Propolis. Sie putzen nicht nur den Bienenstock, sondern pflegen auch ihr eigenes Haarkleid und jenes von andern Bienen.
Bienen koten normalerweise nicht im Stock. Sie warten auf günstiges Flugwetter und geben dann den Kot im Freien ab. Dank dem enormen Ausdehnungsvermögen der Kot-

5 Krankheiten und Abwehrmechanismen

blase können die Bienen ihren Stock rein halten, selbst wenn sie im Winter wochen- oder gar monatelang nicht ausfliegen.

Bienenumsatz

Im Bienenvolk schlüpfen und sterben fortwährend Bienen. Dieser Kreislauf wird als Bienenumsatz bezeichnet (→ S. 69 f.). Da im Frühling alle Winterbienen zu Grunde gehen, erneuert sich das Bienenvolk vollständig. Zwischen März und Oktober lösen sich im Volk etwa acht Generationen ab. Jedes Jahr sterben pro Volk 15 bis 20 kg Bienen.

Die Generationsdauer der Arbeiterinnen ist im Sommer viel kürzer (etwa 1 Monat) als im Winter (mehrere Monate). Krankheitserreger mit einer langen Generationsdauer können sich deshalb im Sommer nur schlecht vermehren (z. B. Tracheenmilben, Nosematose, Amöben).

Giftstachel

Mit dem Giftstachel schützen die Wächterinnen den Bienenstock vor Eindringlingen. Fremde, raubende, vergiftete oder kranke Bienen werden abgewehrt.

Abb. 110
Schwarm
Imkerinnen und Imker wünschen schwarmträge Bienen (→ Band „Imkerhandwerk", S. 47). Wird aber der Schwarmtrieb eines Volkes allzu sehr unterbunden, kann dadurch die Krankheitsanfälligkeit zunehmen.

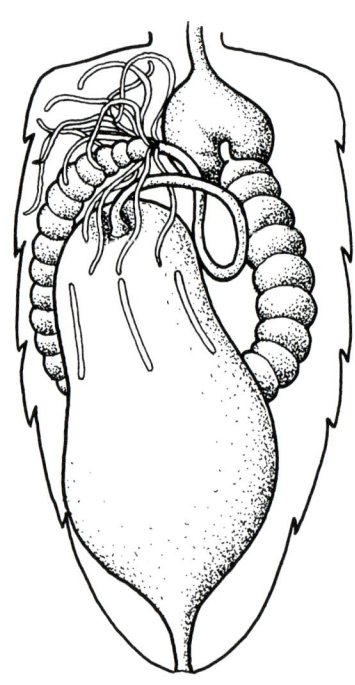

Abb. 111
Kotblase einer Winterbiene
Die Biene kann während Monaten den eigenen Kot in ihrer Kotblase zurückbehalten. Die Blase füllt dann fast den ganzen Hinterleib aus. Die Sekrete der Rektaldrüse verhindern, dass sich der Blaseninhalt zersetzt.

5.3 Anatomische und chemische Barrieren

Bienen verfügen über anatomische und chemische Barrieren, die sie vor Krankheitserregern schützen.

Cuticula

Die Cuticula bildet das Aussenskelett der Biene und überzieht ihren ganzen Leib, einschliesslich der Facettenaugen (→ S. 9). Sie kleidet auch Hohlräume aus, so etwa Vorder- und Enddarm sowie die Tracheen. Der Mitteldarm hat keine Cuticula, doch ihn schützt die peritrophische Membran.

Peritrophische Membran des Mitteldarms

Spezialisierte Zellen an der Oberfläche des Mitteldarmes (Mitteldarm-Epithelzellen) produzieren bei Bienen und anderen Insekten die peritrophische Membran (→ S. 20). Diese schützt die Darmwand vor Verletzungen durch grobe Nahrungspartikel, wie beispielsweise Pollen. Epithelzellen des Mitteldarmes geben ununterbrochen Sekrete ins Darmlumen ab, wodurch die Membran laufend neu gebildet wird.

Ventiltrichter

Der Ventiltrichter (Proventriculus) liegt zwischen Honigblase und Mitteldarm (→ S. 21). Pollenkörner, aber auch Krankheitserreger, wie zum Beispiel Sporen von *Nosema apis* oder der Bösartigen Faulbrut *(Paenibazillus larvae),* leitet der Ventiltrichter innert Kürze in den Mitteldarm weiter. Dadurch wird verhindert, dass Krankheitserreger beim Futteraustausch weitergegeben werden.

Antibiotische Substanzen

In der Propolis, aber auch im Honig, Pollen und im Futtersaft lassen sich antibiotische Substanzen nachweisen (→ Band „Bienenprodukte"). Diese hemmen das Wachstum von Mikroorganismen oder töten sie. Auch das Mandibeldrüsensekret enthält Bakterizide und Fungizide. Die Brutzellwände werden mit diesem Sekret überzogen.

5.4 Immunsystem

Insekten haben wie andere Tiere ein Immunsystem. Es ist jedoch nicht mit dem hoch entwickelten Immunsystem der Wirbeltiere zu vergleichen. Insekten verfügen über kein Immungedächtnis. Daher unterscheidet sich die Abwehr bei der Erst- und Zweitinfektion nicht.

Das Immunsystem wird aktiv, sobald Krankheitserreger wie Viren, Bakterien, Pilze oder Einzeller in die Hämolymphe gelangen.

Um einen Krankheitserreger abzuwehren, muss ihn das Immunsystem zuerst erkennen. Der als körperfremd erkannte Erreger wird anschliessend durch Abwehrmechanismen neutralisiert oder beseitigt. Kleine Partikel wie beispielsweise Bakterien werden von Phagozyten aufgenommen und unschädlich gemacht (Phagozytose). Grössere Fremdkörper wie beispielsweise Eier und Larven von Parasiten werden von Blutzellen umschlossen und abgekapselt. Gleichzeitig wird Melanin (Pigmentstoff) abgelagert, das die Parasiten wie z. B. Einzeller oder Pilzfäden tötet. Zusätzlich wirken Eiweisse in der Hämolymphe (Bienenblut) gegen Bakterien, Pilze und Viren.

5.5 Krankheiten der Bienenbrut

Amerikanische Faulbrut, Bösartige Faulbrut

Erreger	*Paenibacillus larvae*
Einordnung	Bakterien
Grösse	Lichtmikroskop-Bereich
Formen	*Paenibacillus larvae* kommt in zwei Formen vor: Stäbchen (infektiöse, d. h. ansteckende Vermehrungsform) und Sporen (Dauerform)
Auftreten	April bis September
Befallene Stadien	Arbeiterinnen-, Königinnen- und Drohnenbrut
Häufigkeit (Schweiz)	rund 100 Fälle pro Jahr (19)

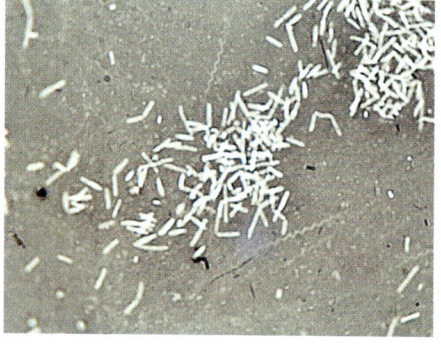

Abb. 112
Faulbrutbazillen
Paenibacillus larvae in Stäbchenform, dazwischen vereinzelte wellenförmige Geisseln.

Abb. 113
Krankheitsverlauf

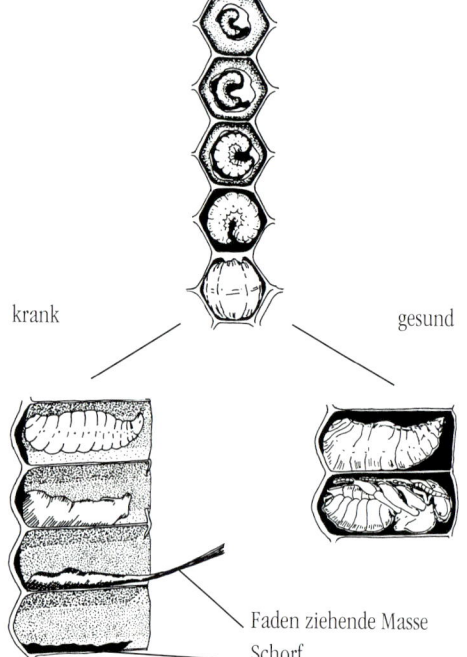

krank   gesund

Faden ziehende Masse
Schorf

Infektion
Larven werden nur bis zum Alter von zwei Tagen infiziert. Wenn Putzbienen die Faden ziehende Masse oder den Schorf aus den Zellen entfernen, verteilen sie dabei infektiöse (ansteckende) Faulbrutsporen.

Ausbreitung
Biene: durch Räuberei und Verflug, durch Eintrag von Faulbrutsporen über Honigresten aus Altglaslagern.

Imker: durch das Vereinen von gesunden und kranken Völkern, durch das Austauschen von Waben, durch den Gebrauch kontaminierter Geräte und Beuten, durch das Verabreichen infektiösen Futters (Futterteig, Honig von erkrankten Völkern), durch das Verstellen von infizierten Völkern.

Anzeichen
Das Brutbild ist lückenhaft, und die Zelldeckel sind eingesunken und löchrig. Die ab-

Krankheiten und Abwehrmechanismen

Abb. 114
Amerikanische Faulbrut (Bösartige Faulbrut)
Das Brutbild ist lückenhaft. Die Zelldeckel sind eingesunken und dunkel. Sie werden von den Bienen häufig durchlöchert.

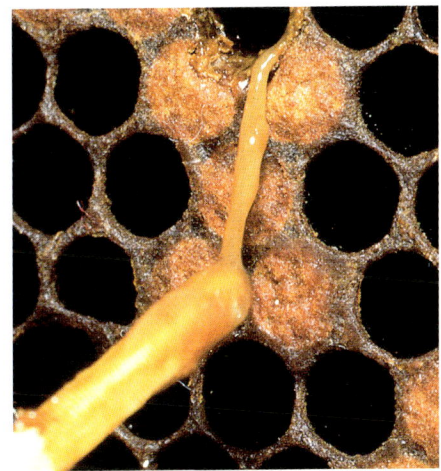

Abb. 115
Streichholztest
Bakterien zersetzen abgestorbene Maden oder Puppen zu einer schleimigen, braunen Masse, die Faden ziehend am Streichholz haften bleibt.

gestorbenen Maden verfärben sich bräunlich, verlieren ihre Segmentierung und wandeln sich zu einer schleimigen Masse. Bei verdeckelter Brut kann der Streichholztest angewandt werden. Dazu wird der Zelldeckel geöffnet. Am Streichholz bleibt eine Faden ziehende, braune Masse haften. Später trocknet die zähflüssige Masse zu einem dunklen, zungenförmigen Schorf ein. Der Schorf klebt fest am Zellboden und lässt sich nicht entfernen.

Schädigung
Die Bienenlarven zersetzen sich und sterben ab. Bei starkem Befall geht das Volk ein.

Natürliche Abwehr
Wenn die Putzbienen die infizierten Rundmaden aus den Zellen schaffen, können sie die Amerikanische Faulbrut abwehren. Das Bakterium *Paenibacillus larvae* hat in den Rundmaden noch keine infektiösen Sporen gebildet. Der Ventiltrichter in der Honigblase der Arbeiterinnen überführt die Faulbrutsporen in den Mitteldarm. Auf diese Weise werden sie dem Nahrungskreislauf im Volk entzogen.

Biologische Gegebenheiten, die der Imker nutzen kann
Völker mit ausgeprägtem Putztrieb wehren die Amerikanische Faulbrut erfolgreicher ab. Es gilt, solche Bienenvölker zu vermehren. Bei der Sanierung können noch starke Völker als Kunstschwärme weitergepflegt werden. Sie werden vorerst nicht gefüttert, damit sich die Honigblasen, die Faulbrutsporen enthalten, entleeren (Massnahmen → Band „Imkerhandwerk", S. 104).

Europäische Faulbrut, Sauerbrut, Gutartige Faulbrut

Primärer Erreger	*Melissococcus pluton*
Sekundärer Erreger	Es kommt vor, dass sich die durch *Melissococcus pluton* infizierte Rundmade weiterentwickelt und nicht abstirbt. Nach der Verdeckelung finden dann *Bacillus alvei* und andere Bakterien günstige Entwicklungsbedingungen vor.
Einordnung	Bakterien
Grösse	Lichtmikroskop-Bereich
Auftreten	April bis September
Befallene Stadien	Arbeiterinnen-, Königinnen- und Drohnenbrut
Häufigkeit (Schweiz)	rund 35 Fälle pro Jahr (19) – oft in Föhnregionen

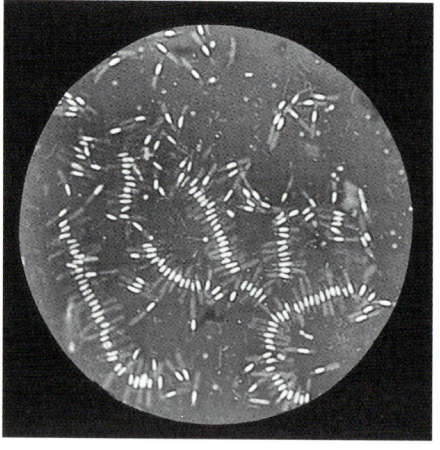

Abb. 116
Bakterien aus einer erkrankten Made
(Aufnahme bei 1000facher Vergrösserung)

Abb. 117
Krankheitsverlauf

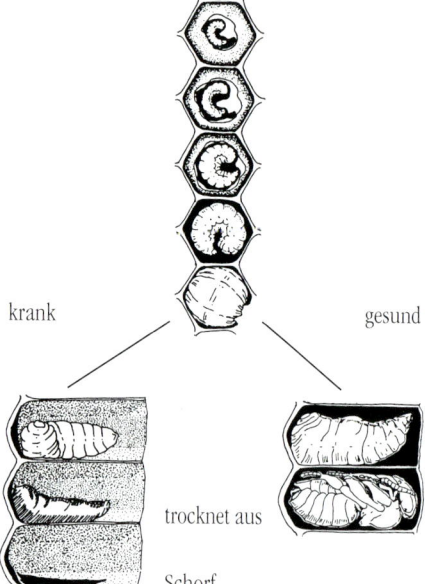

Infektion
Larven, die jünger als 48 Stunden sind, können sich über das Futter mit dem Bakterium *Melissococcus pluton* infizieren. Beim Putzen der Zellen verteilen die Bienen die Bakterien im Volk.

Ausbreitung
Biene: durch Räuberei und Verflug.
Imker: durch das Austauschen von Waben, das Vereinigen von gesunden und kranken Völkern, das Verstellen von infizierten Völkern und das Verabreichen von Futter mit Krankheitskeimen.

Anzeichen
Da verschiedene Bakterienarten die Sauerbrut verursachen, ist das Krankheitsbild uneinheitlich.
Anzeichen vor der Verdeckelung (primäre Form der Sauerbrut):
Ein stecknadelkopfgrosser, schmutzig gelber Bakterienklumpen im Mitteldarm schimmert durch die Rückenhaut der Larve.

Krankheiten und Abwehrmechanismen

Abb. 118
Europäische Faulbrut (Sauerbrut oder Gutartige Faulbrut)
Die Brutfläche ist lückenhaft, da die Bienen kranke und tote Maden entfernen. Die toten Larven liegen in verschiedenen Stellungen in den Zellen. Die Bakterienmasse riecht säuerlich (Sauerbrut).

Die toten Larven liegen in unterschiedlicher Stellung in denZellen. Abgestorbene Rundmaden trocknen aus, bilden einen Schorf und verbreiten einen sauren Geruch. Die Brutfläche ist lückenhaft.

Anzeichen nach der Verdeckelung (sekundäre Form der Sauerbrut):
Schwarzer, lackartiger Kot klebt an der Innenseite der Zelldeckel. Tote schwarzbraune Streckmaden und Puppen liegen in verschiedener Stellung in den Zellen. Sie sind nicht oder kaum Faden ziehend. Später lässt sich der Schorf leicht entfernen. Der Geruch ist sauer und die Brutfläche lückenhaft. Die Zelldeckel sind eingesunken, löchrig und dunkel verfärbt.

Schädigung
Die Bienenlarven sterben ab und zersetzen sich. Bei starkem Befall kann das Volk eingehen.

Natürliche Abwehr
Bienen mit einem ausgeprägten Putztrieb räumen die befallene Brut aus. Dadurch ist eine Selbstheilung möglich. Der Ventiltrichter filtriert die Sauerbrutkeime aus der Honigblase in den Mitteldarm, wo sie verdaut und unschädlich gemacht werden.

Biologische Gegebenheiten, die der Imker nutzen kann
Starke Völker und Völker mit einem ausgeprägten Putztrieb sind weniger gefährdet. Bei der Sanierung kann der Bautrieb genutzt werden (Massnahmen → Band „Imkerhandwerk", S. 104).

Kalkbrut

Erreger	*Ascosphaera apis*
Einordnung	Pilze
Grösse	Lichtmikroskop-Bereich
Formen	Pilze vermehren und verbreiten sich über Sporen. Durch Zellteilung entstehen Pilzfäden (Hyphen). Mehrere Pilzfäden bilden ein Geflecht (Mycel).
Auftreten	April bis September. Die Kalkbrut ist häufig. Sie kann einzelne Völker, ganze Stände oder alle Stände eines Gebietes befallen (Kalkbrutjahre).
Befallene Stadien	Arbeiterinnen-, Königinnen- und Drohnenbrut
Steinbrut	Neben der Kalkbrut gibt es eine weitere Pilzerkrankung, die Steinbrut *(Aspergillus flavus)*. Diese tritt sehr selten auf und wird deshalb nicht speziell aufgeführt. Befallen werden Arbeiterinnen-, Königinnen- und Drohnenbrut sowie die adulten Tiere. Die Steinbrut ist auch für den Menschen gefährlich (Erblindung).

Abb. 119
Kalkbrutmumien

Abb. 120
Krankheitsverlauf

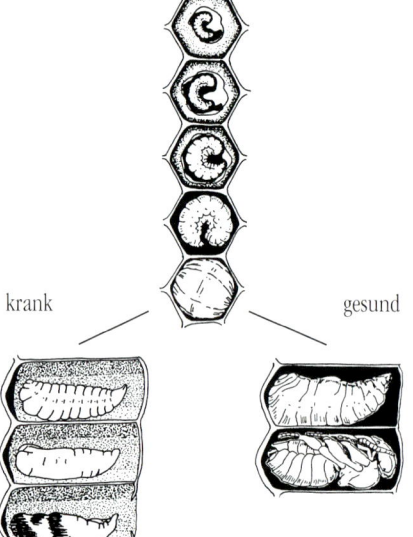

Infektion
Pilzsporen gelangen durch das Futter oder durch die Larvenhaut (Cuticula) in die Brut.

Ausbreitung
Biene: durch Verflug und Räuberei.
Imker: durch Verwendung infektiöser Waben oder Werkzeuge und das Verfüttern von infektiösem Honig oder Pollen.

Anzeichen
Die verschiedenen Vermehrungsstadien des Pilzes lassen sich anhand der Verfärbung der Brut erkennen: Das Pilzgeflecht durchdringt kurz vor oder nach der Verdeckelung die Haut der Made und bildet einen weissen, flaumigen Überzug. Wenn der Pilz später Sporen tragende Fruchtkörper bildet, verfärbt sich die Made grauschwarz.

Krankheiten und Abwehrmechanismen

Abb. 121
Kalkbrut

Links: Die Putzbienen haben die Zelldeckel abgestorbener Larven entfernt. Nun sind die Kalkbrutmumien erkennbar. Die dunklen Stellen sind Sporen tragende Fruchtkörper von *Ascosphaera apis*.

Rechts: Die Putzbienen haben die Kalkbrutmumien aus den Zellen gezogen und auf den Gitterboden der Beute fallen gelassen.

Die tote Streckmade wird mit der Zeit hart, ohne die äussere Gestalt zu verlieren. Sie wird Kalkbrutmumie genannt. Die Mumien liegen locker in offenen und verdeckelten Zellen. Sie klappern, wenn die Wabe geschüttelt wird.
Die Brutfläche ist lückenhaft und Zelldeckel sind aufgerissen oder entfernt.

Schädigung
Brut: Die Pilzfäden von *Ascosphaera apis* durchwachsen und überziehen die gesamte Made. Die Organe werden zerstört und die Larve stirbt.
Volk: Manchmal verzögert sich die Volksentwicklung. Bei grossem Brutausfall geht das Volk ein.

Natürliche Abwehr
Bienen mit starkem Putztrieb entfernen kranke Brut und Kalkbrutmumien und deponieren sie zwischenzeitlich auf dem Beutenboden oder vor dem Flugloch. Dieses Hygieneverhalten ist nur erfolgreich, wenn der Pilz noch keine mit Sporen gefüllten Fruchtkörper gebildet hat.

Biologische Gegebenheiten, die der Imker nutzen kann
Starke Völker mit einem ausgeprägten Putztrieb sind weniger anfällig. Die Kalkbrut ist eine Faktorenkrankheit. Daher sind der Ausbruch und der Verlauf der Erkrankung vom Zusammenwirken bestimmter Umweltfaktoren abhängig. Stressfaktoren, wie hoher Varroa-Befall, Nahrungsmangel, schlechte Beutebedingungen oder Unterkühlung, können die Kalkbrut begünstigen und sind deshalb zu vermeiden.

Sackbrut

Erreger	Sackbrutvirus *(Morator aetatulae)*
Einordnung	Viren
Grösse	Elektronenmikroskop-Bereich
Form	Viren bestehen nur aus Erbsubstanz, die von einer Eiweisshülle umgeben wird.
Auftreten	April bis September
Befallene Stadien	Arbeiterinnen-, Königinnen- und Drohnenbrut
Häufigkeit (Schweiz)	zwischen 1979 und 1995 rund 30 Fälle pro Jahr

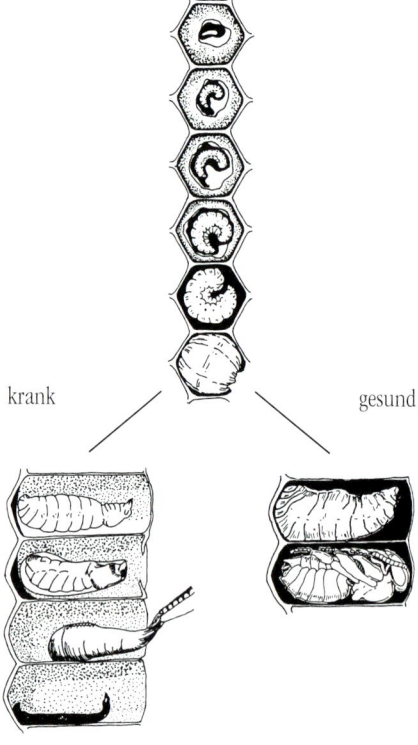

Abb. 122
Krankheitsverlauf

Infektion

Die Sackbrutviren vermehren sich in den Futtersaftdrüsen der Ammenbienen, die mit ihrem Futtersaft die jungen Larven infizieren. Beim Ausräumen der befallenen Brutzellen stecken sich die Putzbienen an. Sie reissen die mit Häutungsflüssigkeit angefüllte Hauthülle der Larve auf, in der hoch infektiöse Sackbrutviren enthalten sind. Der schiffchenförmige, ausgetrocknete Schorf hingegen ist nicht ansteckend.

Ausbreitung

Biene: durch Verflug und Räuberei.
Imker: durch den Austausch von Waben und das Vereinigen von Völkern.

Anzeichen

Die Haut der Streckmade ist mit wässriger Häutungsflüssigkeit (Exuvialflüssigkeit) angefüllt. Deshalb ist die tote Larve sackförmig, wenn sie mit einer Pinzette aus der Zelle gehoben wird. Sie verfärbt sich von

Krankheiten und Abwehrmechanismen

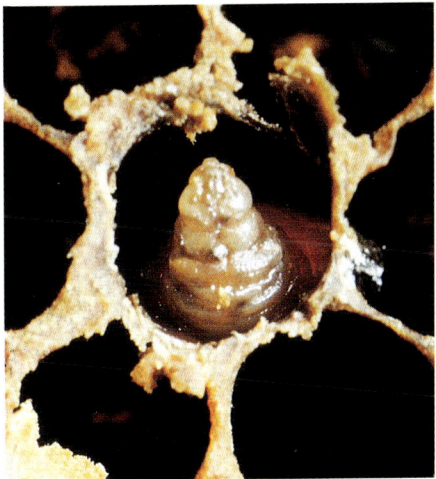
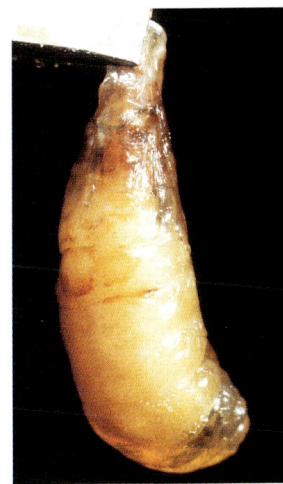

Abb. 123
Sackbrut
Links: Die Brutfläche ist lückenhaft. In einigen von den Putzbienen geöffneten Zellen liegen tote Streckmaden mit nach oben gerichtetem Kopf.
Mitte: Die abgestorbene Streckmade liegt wie ein Schiffchen in der Zelle.
Rechts: Sie kann mit der Pinzette wie ein Sack aus der Zelle gehoben werden.

gelb zu braun und trocknet zu einem schiffchenförmigen, dunkelbraunen Schorf ein. Sowohl bei der sackförmigen Streckmade wie beim schiffchenförmigen Schorf bleibt die Segmentierung erkennbar. Der Schorf löst sich leicht aus der Zelle. Das Brutbild ist lückenhaft und die Zelldeckel sind eingesunken und durchlöchert.

Schädigung
Brut: Das Sackbrutvirus stört den Häutungsprozess. Bei der pupalen Häutung sammelt sich zwischen der alten Larvenhaut und der neu gebildeten Puppenhaut Häutungsflüssigkeit. Die befallene Brut stirbt ab.

Volk: In Verbindung mit anderen Infektionen können sich die Völker schleppend entwickeln oder zugrunde gehen.

Natürliche Abwehr
Oft tritt eine spontane Heilung auf.

Biologische Gegebenheiten, die der Imker nutzen kann
Starke Völker und Völker mit einem ausgeprägten Putztrieb sind weniger anfällig. Bei der Sanierung kann der Bautrieb ausgenutzt werden (Massnahmen → „Imkerhandwerk", S. 107).

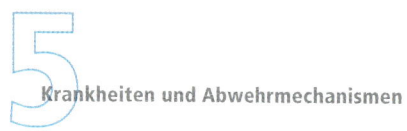

5 Krankheiten und Abwehrmechanismen

Unterkühlung

Eine Unterkühlung kann auftreten, wenn zu wenig Bienen vorhanden sind, um die Brut zu wärmen. Die offene oder verdeckelte, unterkühlte Brut stirbt ab.

Anzeichen
Die Brut verfärbt sich grau bis schwarz. Die Brut am Rand des Brutnestes nimmt zuerst Schaden.

Natürliche Abwehr
Um eine Unterkühlung zu vermeiden, drängen sich Bienen auf der Brut zusammen und bilden einen wärmenden „Bienenpelz". Das Futter liefert Energie, um Wärme zu produzieren.

Biologische Gegebenheiten, die der Imker nutzen kann
Völker mit genügend Bienen und ausreichendem Futtervorrat unterkühlen nicht.

Abb. 124
Unterkühlte Brut
Links: Unterkühlte, abgestorbene Larven verfärben sich allmählich schwarz.
Rechts: Die schlupfreifen Arbeiterinnen vermochten nur noch den Brutdeckel anzunagen oder mit dem Kopf aus der Zelle zu steigen, bevor sie an Unterkühlung starben.

Krankheiten und Abwehrmechanismen

5.6 Krankheiten der Brut und der erwachsenen Bienen

Varroatose

Erreger	*Varroa destructor*
Einordnung	Arachniden (Spinnenartige): Milben
Grösse	von blossem Auge sichtbar, Weibchen etwa 1,2 x 1,6 mm
Auftreten	März bis Oktober
Befallene Stadien	Arbeiterinnen, Drohnen und Königinnen
	Die Drohnenbrut wird rund achtmal häufiger befallen als die Arbeiterinnenbrut.
	Die Entwicklungszeit der Königin in der verdeckelten Zelle ist zu kurz für eine erfolgreiche Vermehrung der Milbe.
Häufigkeit (Schweiz)	1984 wurde die Varroamilbe zum ersten Mal in der Schweiz nachgewiesen. In den folgenden fünf Jahren verbreitete sich die Krankheit über das ganze Land.
Definition	Der Begriff Varroatose bezeichnet das Krankheitsbild, das bei hohem Varroamilben-Befall entsteht und oft von Sekundärinfektionen begleitet wird.

Vier Varroaarten, verschiedene Varroatypen

Weltweit sind vier Varroaarten allgemein anerkannt: *Varroa jacobsoni* (1904), *Varroa underwoodi* (1987), *Varroa rindereri* (1996) und *Varroa destructor* (2000). Aufgrund von Genanalysen werden die Varroaarten weiter in verschiedene Varroatypen unterteilt. Es stellte sich heraus, dass sich nur zwei Varroatypen zu Parasiten von *Apis mellifera* entwickelt haben: der Korea-Typ und der Japan-Thailand-Typ. In Europa konnte bisher nur der Korea-Typ nachgewiesen werden. Der Japan-Thailand-Typ hingegen ist in Nord- und Südamerika verbreitet. Dieser scheint *Apis mellifera* nicht so stark zu schädigen wie der Korea-Typ. (24)

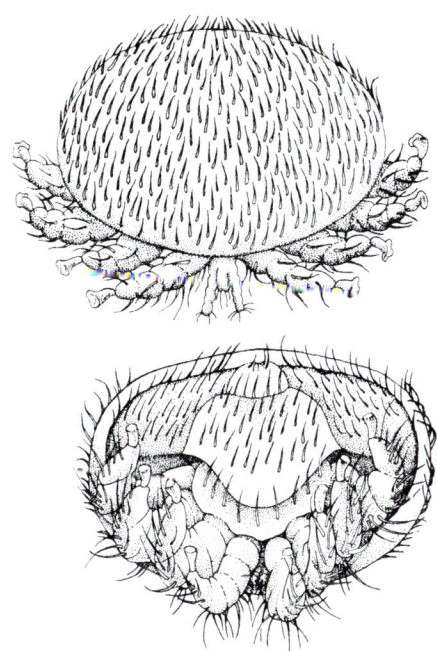

Abb. 125
Weibliche Varroamilbe 30fach vergrössert
Sie hat acht Beine und ist ein Ektoparasit, d. h., sie lebt auf der Biene.

Infektion

Die Varroatose tritt erst bei hohem Befall durch Varroamilben auf und wird oft von Sekundärinfektionen begleitet. Die Milbe durchsticht die Cuticula und saugt Hämolymphe. An den Stichstellen dringen Viren, Bakterien und Pilzsporen ein.

Vermehrungszyklus

Er findet in der verdeckelten Brutzelle statt. Kurz vor der Verdeckelung dringen Milbenweibchen in Drohnen- oder Arbeiterinnenbrut ein und legen je 2 bis 6 Eier, aus denen Varroanymphen schlüpfen. Während ihrer Entwicklung saugen sie Blut von der Bienenlarve. Die Paarung findet in der verdeckelten Zelle statt. Das erstgeschlüpfte Milbenmännchen begattet seine jüngeren Schwestern und stirbt. Mit der schlüpfenden Biene verlassen etwa zwei erwachsene und begattete Tochtermilben pro Muttermilbe die Brutzelle und steigen bis zur nächsten Eiablage auf adulte Bienen auf. Junge Milben erkennt man an ihrem helleren Chitinpanzer.

5 Krankheiten und Abwehrmechanismen

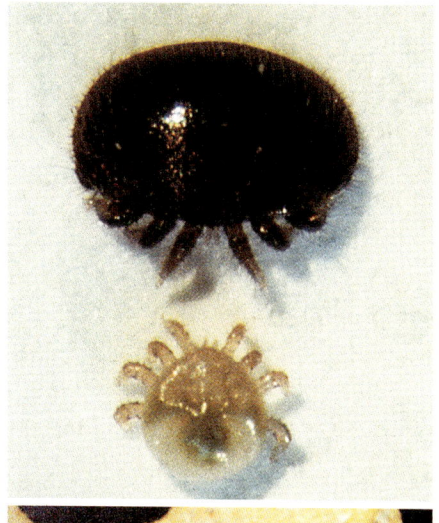

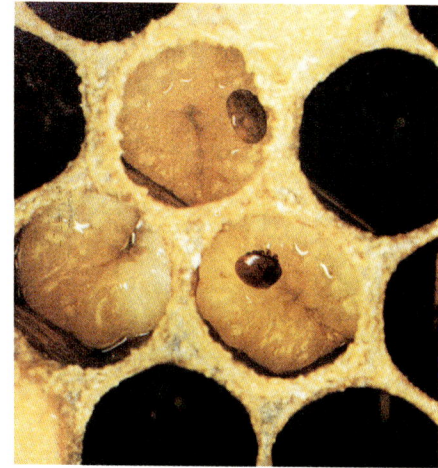

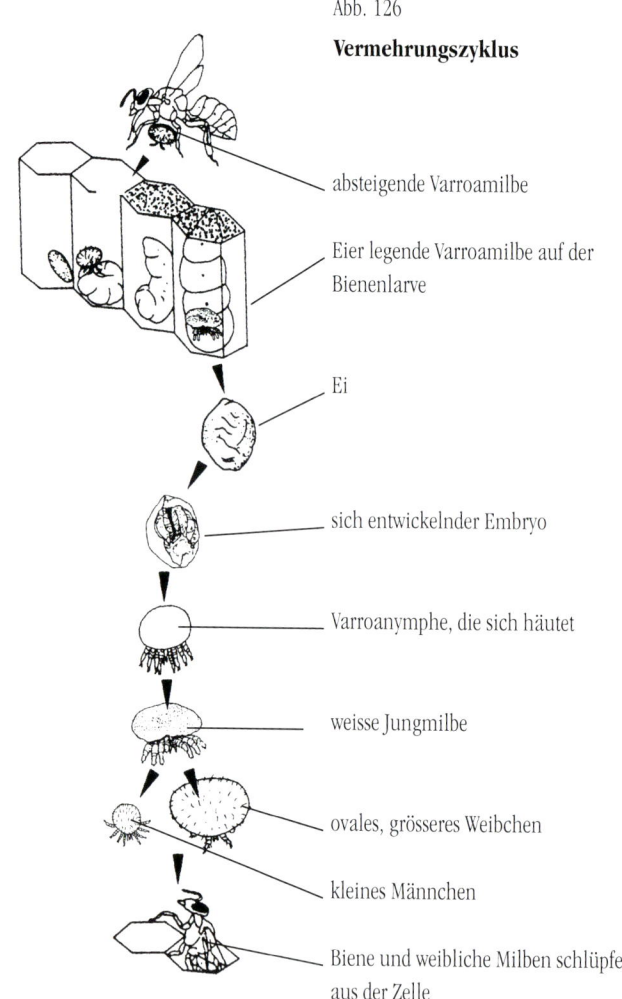

Abb. 126
Vermehrungszyklus

- absteigende Varroamilbe
- Eier legende Varroamilbe auf der Bienenlarve
- Ei
- sich entwickelnder Embryo
- Varroanymphe, die sich häutet
- weisse Jungmilbe
- ovales, grösseres Weibchen
- kleines Männchen
- Biene und weibliche Milben schlüpfen aus der Zelle

Abb. 127
Varroa-Weibchen und -Männchen
Die Weibchen sind braun und oval, die Männchen weiss und rund. Diese sterben nach der Paarung in der Zelle.

Abb. 128
Varroa auf Rundmaden
Zur Eiablage schlüpfen die Varroamilben in Brutzellen mit Rundmaden, die kurz darauf verdeckelt werden.

Ausbreitung
Biene: durch Verflug und Räuberei, durch Schwärme und Drohnen, die in fremde Völker einfliegen.
Mensch: durch Bienentransporte.

Anzeichen
Varroamilben sind häufig in der Brut und auf den Bienen zu sehen. Verkürzte Hinterleibe sowie missgebildete Flügel von Drohnen und Arbeiterinnen weisen auf einen starken Befall hin. Weisse Kotflecken der Varroamilben kennzeichnen parasitierte Brutzellen.

Krankheiten und Abwehrmechanismen

Schädigung

Brut und Biene: Die Milben entziehen der Bienenbrut und den adulten Bienen Hämolymphe und können dadurch das Schlupfgewicht verringern, die Entfaltung der Futtersaftdrüsen hemmen, die Flugaktivität der Arbeiterinnen eindämmen und die Lebensdauer verkürzen. Bei starkem Varroa-Befall schlüpfen Bienen mit verkürztem Hinterleib und verkrüppelten Flügeln.

Volk: Die Varroatose ist heute die schwerste Bienenkrankheit. Führt der Imker keine Behandlung durch, gehen die meisten Völker innerhalb weniger Jahre ein. Die Zusammenbrüche der Völker ereignen sich häufig im Spätsommer, im Herbst und nach der Auswinterung.

Natürliche Abwehr

Die Westliche Biene, *Apis mellifera,* besitzt keine wirksame, natürliche Abwehr gegen die Varroamilbe. Ihr Putzverhalten reicht nicht aus, um den Varroa-Befall einzudämmen. Es laufen Bemühungen, um varroaresistente Bienen zu züchten.

Biologische Gegebenheiten, die der Imker nutzen kann

Die Drohnenbrut wird in der Regel stärker parasitiert als die Arbeiterinnenbrut. Durch das regelmässige Entfernen von Drohnenbrut lässt sich der Varroa-Befall vermindern. Auch die Ablegerbildung reduziert den Varroa-Befall (Massnahmen → „Imkerhandwerk", S. 109 f.).

Abb. 129
Varroageschädigte Biene
Die Flügel sind verkrüppelt. Auf dem Brustabschnitt sitzt eine Varroamilbe.

Abb. 130
Stark varroageschädigtes Volk
Die Varroa-Population nimmt von März bis Oktober exponentiell zu. Der Spätsommer ist eine kritische Phase für befallene Völker. Dann nimmt die Zahl der Brutzellen und Bienen ab, der Befall durch Varroen steigt rasch an. Das Volk wird schnell sehr schwach und kann die Brut nicht mehr pflegen und die Brutzellen nicht mehr verdeckeln. Die Brut stirbt ab.

Krankheiten und Abwehrmechanismen

Virosen

Bis heute wurden etwa 18 verschiedene Bienenviren beschrieben. Häufig verursachen die Viren kein typisches Krankheitsbild. Sie sind oft latent vorhanden und können sich unter Stresssituationen stark vermehren. Viren (BQCV, BVY, FV) können über die durch *Nosema apis* zerstörte Darmwand in das Bienenblut eindringen. Durch das Saugloch der Varroamilbe gelangt das APV in das Bienenblut. Die Brut oder die erwachsene Biene kann innerhalb weniger Tage am APV zu Grunde gehen. Das Flügeldeformations Virus (DWV) wurde nur bei gleichzeitigem Varroa-Befall nachgewiesen.

Virus	Stadium	Parasitose	Schädigung	Anzeichen
APV	Brut, adulte Bienen	Varroatose	Tod, verkürztes Leben	sauerbrutähnlich, gestörtes Verhalten
BQCV	Brut, adulte Bienen	Nosematose	Tod, verkürztes Leben	schwarze Weiselzellen
DWV	Brut	Varroatose	Tod	missgebildete Flügel
SBV	Brut	–	Tod	sackförmige Streckmade
BVY	adulte Bienen	Nosematose	verkürztes Leben	–
CWV	adulte Bienen	–	verkürztes Leben	trübe Flügel
FV	adulte Bienen	Nosematose	verkürztes Leben	trübe Hämolymphe
CPV	adulte Bienen	–	Tod	Haarlosigkeit, d.h. Schwarzsucht und Lähmung

Tab. 6

Abkürzungen

APV	Akutes Paralyse Virus	BVY	Bienenvirus Y
BQCV	Schwarzes Königinnenzellen Virus	CWV	Krüppel-Flügel Virus
DWV	Flügeldeformations Virus	FV	Faden Virus
SBV	Sackbrutvirus	CPV	Chronisches Paralyse Virus

nach (36)

Vergiftungen

Auftreten	meist nach Pflanzenschutz-Spritzungen auf die Blüten oder honigtauhaltiges Blattwerk
Befallene Stadien	Bienenbrut und adulte Bienen
Häufigkeit (Schweiz)	in den letzten 20 Jahren jährlich 5 bis 20 Meldungen Ein bis zwei Vergiftungsfälle beruhten auf Böswilligkeit; nicht alle gemeldeten Fälle liessen sich auf Vergiftungen zurückführen.

Krankheiten und Abwehrmechanismen

Vergiftungsvorgang
Sammelbienen werden auf Pflanzen direkt mit einem Pestizid besprüht, oder sie nehmen Nektar, Honigtau, Pollen oder Wasser mit giftigen Rückständen auf. Durch den Futteraustausch werden auch Brut und Bienen im Stock vergiftet. Bekämpfungsmittel gegen Wachsmotten können auch für Bienen gefährliche Rückstände im Wachs bilden. Pestizidhaltige Farben, Lacke und Imprägnierungsmittel können für Bienen giftig sein.

Vergiftungen der Brut
Wachstumsregulatoren, die gegen Insekten eingesetzt werden, können auch die Entwicklung der Bienenbrut stören. Metamorphosehemmer beispielsweise wirken ähnlich dem Juvenilhormon, Häutungshemmer drosseln die Chitinsynthese und Häutungsbeschleuniger treiben ähnlich dem Ecdyson die Häutung voran.

Vergiftungen der Bienen
Wenn ein Gift die Bienen nicht tötet, kann es sie dennoch beeinträchtigen: zum Beispiel nehmen die Lebenserwartung oder das Orientierungsvermögen ab, oder sie verfallen in ein Koma, aus dem sie wieder erwachen.

Anzeichen einer akuten Vergiftung
Viele tote Bienen liegen vor oder innerhalb des Bienenstocks. Die Bienenmasse kann ohne ersichtlichen Grund vermindert sein. Das Verhältnis von Brut zu Bienen ist unausgewogen. Bienen liegen gelähmt auf dem Boden oder torkeln umher. Es sind gewöhnlich alle Völker eines Bienenstands betroffen, häufig auch die der umliegenden Stände.

Anzeichen einer chronischen, schleppenden Vergiftung
Bei einer fortwährenden und geringen Zufuhr eines giftigen Produkts in das Volk kommt es zu einer chronischen Vergiftung, zum Beispiel bei der Aufnahme von verseuchtem Pollen oder Honig. Chronische Vergiftungen sind schwierig zu erkennen, da die Anzeichen nicht unmittelbar nach der Vergiftung auftreten. Ohne sichtbares Bienensterben wird das Volk zunehmend schwächer. Das Verhältnis von Brut zu Bienen ist unausgewogen. Viele, teilweise missgebildete Larven und Puppen können auf dem Flugbrett liegen.

Vorbeugende Massnahmen
Es sollen nur Pflanzen- und Wabenschutzmittel angewendet werden, die für Bienen unschädlich sind.

Abb. 131
Akute Vergiftung
Die Bienen sind mit einer giftigen Substanz in Kontakt gekommen. Sie liegen massenweise vor den Fluglöchern.

5.7 Krankheiten der erwachsenen Bienen

Tracheenmilbenkrankheit, Acariose

Erreger	*Acarapis woodi*
Einordnung	Milben
Grösse	Binokularlupen-Bereich
Auftreten	Februar bis Mai
Häufigkeit (Schweiz)	1979 bis 1995 durchschnittlich 90 Fälle pro Jahr (19).

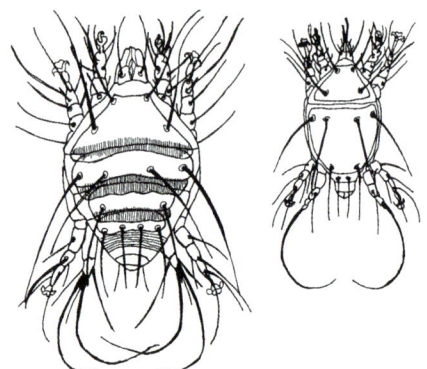
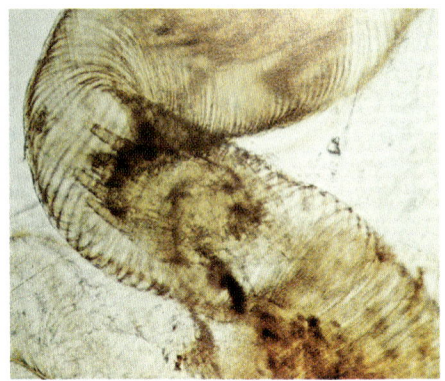

Abb. 132
Tracheenmilbe
Links: Weibchen und Männchen. Rechts: Luftröhre mit einer Tracheenmilbe bei etwa 100facher Vergrösserung.
Die Tracheenmilbe hat acht Beine. Als Endoparasit lebt sie in den Tracheen (Luftröhren) der Bienen (→ S. 22).

Infektion
Die Tracheenmilben dringen in das erste Atemöffnungspaar des Brustabschnittes von jungen Bienen ein, solange deren schützende Reusenhaare noch weich und elastisch sind (→ S. 22). Andere Tracheen werden nicht befallen, da deren Öffnungen zu klein sind. Die erwachsenen Tracheenmilben und ihre Jungtiere ernähren sich von der Hämolymphe. Bei jeder Nahrungsaufnahme durchbohren sie die Tracheenwand. Es können mehrere Milbengenerationen zusammen in einer Trachee leben. Die Milben wechseln von Altbienen auf Jungbienen bei deren gegenseitiger Berührung. Ausserhalb ihres Wirts überleben sie nur einige Stunden. Die Bohrlöcher der Milben sind Eintrittspforten für weitere Krankheitserreger.

Ausbreitung
Biene: durch Verflug und Räuberei.
Imker: durch das Vereinigen von gesunden und kranken Völkern und das Verstellen von befallenen Völkern.

Krankheiten und Abwehrmechanismen

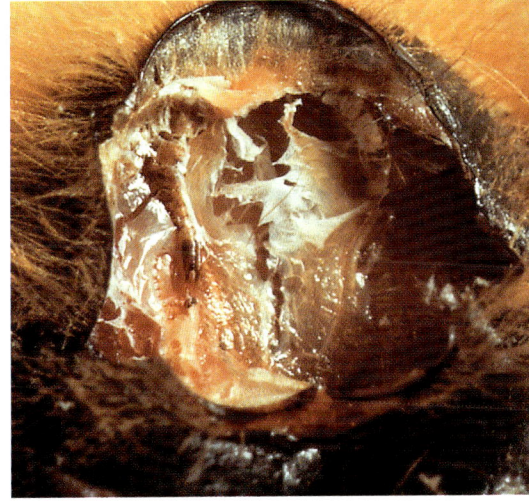

Abb. 133
Querschnitt des Brustteils von Bienenarbeiterinnen
Links gesunde, milchig weisse, rechts befallene, graubraune Tracheenröhren. Tracheenmilben-Befall ist nur unter der Binokularlupe mit Sicherheit nachweisbar. Dazu müssen die Haupttracheen im Brustabschnitt freigelegt werden.

Anzeichen
Die Bienen können abnormal gespreizte Flügel haben. Flugunfähige Bienen krabbeln auf dem Flugbrett. Die Tracheenmilben lassen sich nur mit Hilfe der Binokularlupe nachweisen.

Schädigung
Biene: Im ersten Tracheenpaar können über 100 Milben gezählt werden. Die vielen Milben und deren Häutungsreste verstopfen die Tracheen und beeinträchtigen dabei die Atmung.
Volk: Wenn es aufgrund hohen Befalls zu wenig Bienen für die Brutpflege hat, kann das Volk eingehen.

Natürliche Abwehr
Im Frühling sterben mit den Winterbienen auch die Tracheenmilben.
Mit der zunehmenden Bruttätigkeit im Frühling nimmt der Befall durch Tracheenmilben ab, das heisst, es gibt weniger Milben pro Biene.
Die Lebensdauer der Sommerbienen ist fast so lang wie der Vermehrungszyklus der Tracheenmilben. In den Sommerbienen entwickeln sich nur wenige Milben zum erwachsenen Tier. Deshalb vermehren sich die Tracheenmilben auf den Sommerbienen nur beschränkt.

Biologische Gegebenheiten, die der Imker nutzen kann
Reinigungsflüge im Winter sind vorteilhaft (kein schattiger Standort). Auf den Reinigungsflügen sterben befallene Winterbienen. Standorte mit guten Trachtverhältnissen fördern den Bienenumsatz im Frühling. Befallene Winterbienen werden ersetzt.
Varroabehandlungen mit Ameisensäure wirken auch gegen Tracheenmilben.

Nosematose

Erreger	*Nosema apis*
Einordnung	Protozoen (tierische Einzeller, Darmparasiten)
Grösse	Lichtmikroskop-Bereich
Auftreten	März bis Juni
Häufigkeit (Schweiz)	Die Nosematose ist an Mischinfektionen beteiligt, die häufig zu Bienen- und Völkerverlusten führen.
Amöbenruhr	Dies ist, neben der Nosematose, eine weitere Krankheit, die durch tierische Einzeller verursacht wird. Die Amöben *(Malpighamoeba mellificae)* befallen u. a. die Harnkanäle (Malpighische Gefässe). Die Amöbenruhr stellt in der Schweiz kein Problem dar und wird deshalb nicht speziell aufgeführt.

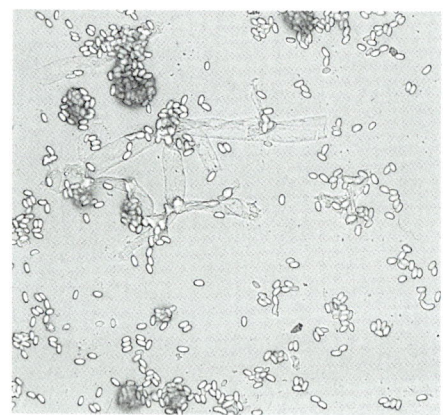

Abb. 134
Nosemasporen (Dauerstadien)

Infektion
Der Einzeller *Nosema apis* kann sich nur im Mitteldarm vermehren; ausserhalb des Darms überlebt er nur als Spore (Dauerform). Der Kot einer infizierten Biene enthält Millionen von Sporen. Wenn Putzbienen Kot weglecken, nehmen sie Sporen auf. Auch mit der Nahrung können Nosemasporen in den Mitteldarm gelangen.

Ausbreitung
Biene: durch Verflug, Räuberei und fremde Drohnen.
Imker: durch das Umhängen von Waben, die Sporen enthalten, das Vereinigen von gesunden mit kranken Völkern und den Gebrauch verseuchter Geräte.

Anzeichen
Es hat formlose, braune oder beige Kotflecken auf dem Flugbrett, den Waben und in der Beute. Die Bienen können flugunfähig sein und haben aufgedunsene Hinterleibe. Die Brut- und Bienenmasse nimmt ab. Der Mitteldarm erscheint durch die Sporen trüb und weiss im Gegensatz zum gesunden Darm, der durchscheinend braun ist. Nosemabefall ist nur mikroskopisch nachweisbar.

Schädigung
Biene: Nosema apis stört den Eiweissstoffwechsel. Als Folge bilden sich die Futtersaftdrüsen zurück. Zudem verkürzt sich die Lebensdauer der Biene.
Volk: Nosema-Befall schwächt oder tötet das Volk.

Natürliche Abwehr
Mit *Nosema apis* angefüllte Darmzellen werden abgestossen. Manchmal platzen sie auf und der Parasit wird freigesetzt. Zum Teil wird er mit dem Kot ausgeschieden.
Der Ventiltrichter leitet Nosemasporen aus der Honigblase in den Mitteldarm weiter.

Biologische Gegebenheiten, die der Imker nutzen kann
Es empfiehlt sich, alte und mit Kot verschmutzte Waben einzuschmelzen und regelmässig Waben ausbauen zu lassen. Die Sporen sind hitzeempfindlich und können mit Heisswasser oder durch Abflammen der Beuten und Waben abgetötet werden.
Nosema bricht aus, wenn verschiedene, ungünstige Faktoren zusammentreffen. Deshalb sind Stresssituationen zu vermeiden und schwache Völker aufzulösen.

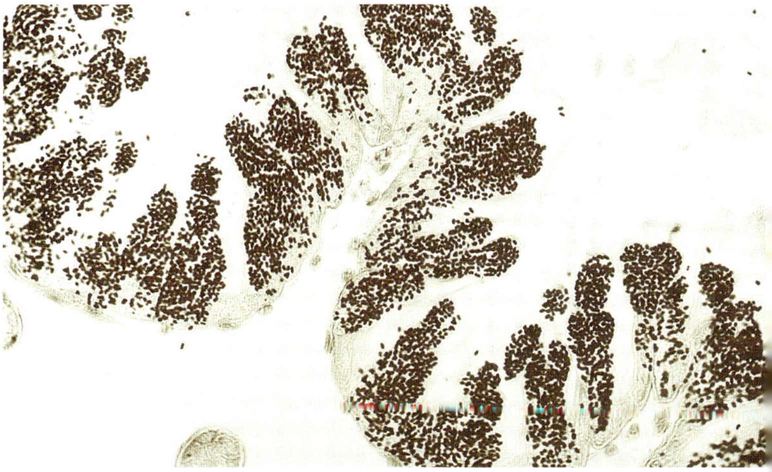

Krankheiten und Abwehrmechanismen

Abb. 135
Infizierter Mitteldarm
Darmzellen mit dunkel verfärbten *Nosema-apis*-Einzellern. Nosema vermehrt sich in den Zellen des Mitteldarmepithels (Mitteldarmoberflächenzellen).

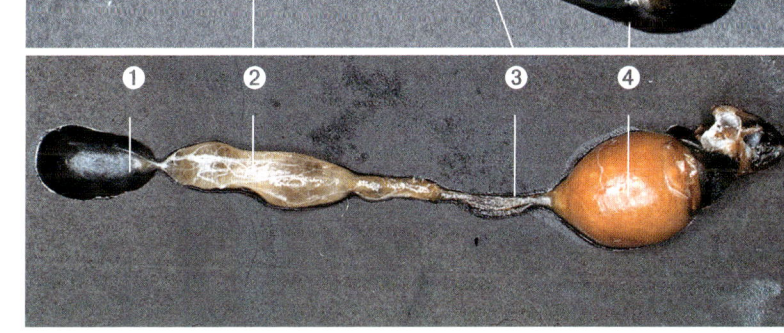

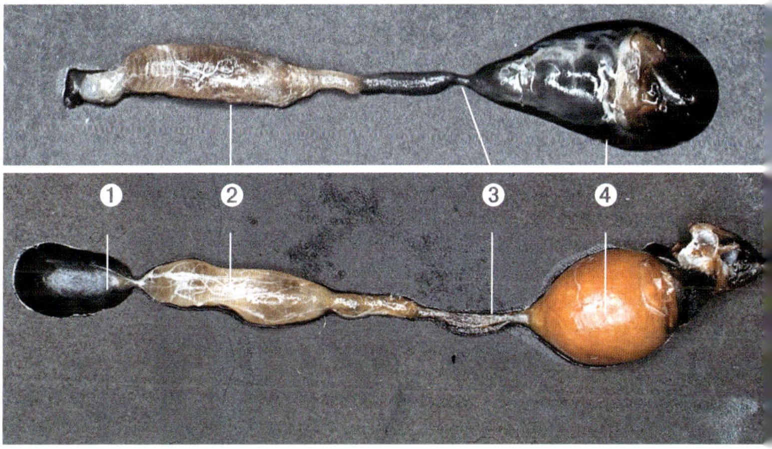

Abb. 136
Darmkanal
Oben: Gesunder, durchscheinend brauner Mitteldarm.
Unten: Nosema-kranker Mitteldarm, trüb und weiss.
1 Honigblase
2 Mitteldarm
3 Dünndarm
4 Kotblase

Abb. 137
Schwaches Volk
Wenn ein Volk bei der Auswinterung immer schwächer wird und nur noch knapp 2 bis 3 Wabengassen besetzt, ist es vielleicht an Nosema erkrankt.

Krankheiten und Abwehrmechanismen

Ruhr

Eine an Ruhr erkrankte Biene gibt den Kot unkontrolliert inner- und ausserhalb des Stockes ab. Die Ruhr ist eine nicht ansteckende Durchfallerkrankung, die oft Winterverluste verursacht.

Auftreten Dezember bis März
Befallene Stadien ausschliesslich Winterbienen betroffen

Abb. 138
Verkotete Fluglochnische
Formlose, schmierige, dunkelbraune Kotflecken im Bereich des Fluglochs deuten auf Ruhr.

Ursache
Ungeeignetes Winterfutter, wie z. B. Waldhonig mit hohem Gehalt an Mineralstoffen oder Melizitose (Zweifachzucker); bei Störungen der Winterruhe, Weisellosigkeit und lang anhaltendem mildem Winterwetter nehmen die Bienen mehr Futter auf als üblich, was die Kotblase überlasten kann.

Anzeichen
Die Wände der Beute, die Waben und deren Rahmen sowie das Flugbrett weisen braune, wässrige Kotflecken auf. Diese trocknen zu Schorf ein. Die Bienen haben einen aufgedunsenen Hinterleib.

Biologische Gegebenheiten, die der Imker nutzen kann
Bei grossen Waldtrachten lagern die Bienen den Waldhonig auch in zentrale Brutwaben ein. Vor der Winterauffütterung müssen diese vollen Brutwaben durch leere ersetzt werden, damit die Bienen gut verträgliches Zuckerwasser einlagern können.

Schwarzsucht

Schwarzsucht ist ein Sammelbegriff für ein Krankheitsbild, das verschiedene Ursachen hat. Wenn der Biene ganz oder teilweise die Haare fehlen, wird die schwarze Cuticula sichtbar.

Ansteckende Form
Die ansteckende Form wird durch das Chronische Paralyse Virus (CPV, → S. 104) verursacht. Alle Altersstufen der erwachsenen Bienen können betroffen sein. Befallen CP-Viren das Nervensystem, kommt es zu Lähmungen (Paralyse). Die Bienen werden flugunfähig und zittern. Ihr Hinterleib ist aufgebläht.

Nicht ansteckende Formen
Die **Waldtrachtkrankheit** tritt auf, wenn Bienen überwiegend Honigtau aus Fichten- und Tannentracht sammeln. Der Honigtau hat eine für die Bienen ungünstige Zusammensetzung von Zuckern und Mineralstoffen, die vermutlich die Darmwand verändern. Manchmal bläht sich der Hinterleib auf. Durch den Futteraustausch verbreitet sich die Waldtrachtkrankheit im Stock. Meistens sind alle Völker eines Standes betroffen, da sie die gleiche Trachtquelle anfliegen.
Die **erbliche Schwarzsucht** beruht auf fehlerhafter Erbinformation. Die Bienen schlüpfen haarlos und sind daher schwarz. Die erbliche Schwarzsucht tritt nur in einzelnen Völkern auf.
Räuberei und **Vergiftungen** können ebenfalls zu Schwarzsucht führen.
Bei **älteren Bienen** ist der Haarverlust vor allem auf dem Rücken des Brustabschnitts (Thorax) natürlich.

Maikrankheit

Die Maikrankheit ist nicht ansteckend und relativ selten. Es sind ausschliesslich Ammenbienen betroffen.

Ursache
Für die grosse Brutmenge im Frühling müssen die Ammenbienen viel Futtersaft produzieren und verdauen dafür eine Menge Pollen. Bei Wassermangel können Darm und Kotblase durch trockenen Pollen verstopft werden.

Anzeichen
Die jungen Bienen haben einen aufgedunsenen Hinterleib. Falls die Bienen noch Kot abgeben, ist dieser fest, wasserarm und wurstförmig. Sterben zu viele Ammenbienen, verhungert die Brut. Meistens sind alle Völker eines Standes betroffen.

Biologische Gegebenheiten, die der Imker nutzen kann
Es empfiehlt sich, den Bienen in Standortnähe ganzjährig Wasser anzubieten oder den Standort so zu wählen, dass die Bienen natürliche Wasservorkommen nutzen können.

5.8 Königinbedingte Probleme

Ist die Königin krank oder fällt sie aus, so leidet das ganze Volk.

Weisellosigkeit

Ein Volk ist weisellos, wenn es keine Königin mehr hat. Solange Arbeiterinnen-Eier vorhanden sind, können die Bienen eine Königin nachziehen.

Drohnenbrütigkeit

Im Volk wird nur noch Drohnenbrut, und zwar auch in Arbeiterinnenzellen, aufgezogen. Da die Arbeiterinnenzellen für Drohnenbrut zu klein sind, werden sie nach aussen verlängert. Auf den Brutwaben bilden sich Buckel (Buckelbrut).

Ursachen
Nicht begattete Königin: Die Königin, die nicht begattet wurde, legt nur unbefruchtete Eier, die sich zu Drohnen entwickeln.
Mangelhaft begattete Königin: Die Königin hat bei der Begattung eine ungenügende Anzahl Spermien in ihre Spermatheke aufgenommen. Wenn der Samenvorrat erschöpft ist, entwickeln sich aus den unbefruchteten Eiern nur noch Drohnen.
Greisenbrütige Königin: Der Samenvorrat der Königin hat sich mit der Zeit erschöpft.
Fehlerhafte Spermien: Die Königin wurde mit fehlerhaften Spermien begattet.
Eier legende Arbeiterinnen: Wenn keine Königin mehr vorhanden ist und das Volk auch keine mehr nachziehen kann, weil junge Brut fehlt, entwickeln sich bei einigen Arbeiterinnen die Eierstöcke. Diese „Drohnenmütterchen" oder Afterköniginnen beginnen nun, unbefruchtete Eier zu legen, aus denen sich nur Drohnen entwickeln. Die Drohnenmütterchen lassen sich von andern Arbeiterinnen nicht unterscheiden. Pro Zelle legen sie meist mehrere Eier in Häufchen ab. Königinnen setzen die Eier immer einzeln auf dem Zellenboden ab (→ Band „Imkerhandwerk", S. 114).

Legestörungen der Königin

Verstopfung der Eileiter; krankhaftes Gelege, das von den Bienen entfernt wird (als Folge lückenhafte Brutanlage), sowie anomale Eiablage.

5.9 Mitbewohner

Wachsmotten

Grosse Wachsmotte	*Galleria melonella*
Kleine Wachsmotte	*Achroia grisella*
Einordnung	Zünsler (Schmetterlinge)
Häufigkeit	Wachsmotten sind ein häufiges Problem für Imker, ausgenommen auf Bienenständen über rund 1000 m ü. M.

Abb. 139
Grosse und kleine Wachsmottenraupe
Die Wachsmotte kann als Ei, Raupe oder Puppe überwintern. Bei den erwachsenen Wachsmottenfaltern variieren Grösse und Farbe stark.

Lebensraum
Die erwachsenen, nachtaktiven Wachsmottenfalter halten sich in der Nähe von Bienenständen auf. Die Raupen leben in ehemals bebrüteten Waben. Sie verpuppen sich auf einer festen Unterlage.

Vermehrungszyklus
Die adulten Wachsmottenweibchen versuchen in Bienenstöcke und Wabenschränke einzudringen, um ihre Eier in Ritzen und an anderen für Bienen schlecht zugänglichen Stellen abzulegen.
Der Vermehrungszyklus ist vom Nahrungsangebot und von der Umgebungstemperatur abhängig. Ein Vermehrungszyklus dauert bei warmen Temperaturen sechs Wochen, bei tiefen bis zu sechs Monaten.

Nahrung
Die Raupen der Wachsmotten bevorzugen mehrmals bebrütete (dunkle), bienenfreie Waben. Sie fressen Pollen, Kokons der Bienenpuppen und Kotreste. In beschränktem Mass konsumieren sie auch Wachs. Die erwachsenen Wachsmottenfalter nehmen keine Nahrung mehr auf.

Anzeichen
Die Raupen bauen mit Seidengespinst ausgekleidete Frassgänge. Die Grosse Wachsmotte baut kurvenreichere Gänge als die Kleine Wachsmotte. Das Gespinst schützt sie vor den Bienen. Die Frassgänge in den Waben sind von blossem Auge erkennbar. Die Raupen hinterlassen trockenen Kot, der oft auf dem Boden des Wabenschrankes oder der Beute zu finden ist.

Schädigung
Raupen fressen auf der Suche nach Futter Löcher in die Waben und legen Frassgänge an. Bevor sie sich verpuppen, raspeln sie Vertiefungen in Holzwände oder Wabenrahmen. In diesen Höhlungen verpuppen sie sich. Die Grosse Wachsmotte baut riesige Gespinste und verursacht gravierendere Schäden als die Kleine Wachsmotte.

Natürliche Abwehr
Starke und mittlere Völker können die Wachsmotte unter der Schadensschwelle halten.

Krankheiten und Abwehrmechanismen

Abb. 140
Grosse Wachsmotte
Oben links: Grosse Wachsmottenraupe in ihrem Frassgang; sie hinterlässt viele Kotkrümel.
Oben rechts: Das dichte Wachsmottengespinst der Grossen Wachsmotte schützt sie vor Kälte und Feinden.

Abb. 141
Kleine Wachsmotte
Die Frassgänge der Kleinen Wachsmotte auf dem Grund bebrüteter Zellen bewirken, dass die Brut in die Höhe geschoben und unvollständig verdeckelt wird. Diese Erscheinung wird „Röhrchenbrut" genannt.

Biologische Gegebenheiten, die der Imker nutzen kann

Mittelwände, nicht bebrütete oder von Honig feuchte Waben nach dem Schleudern werden von Wachsmotten nicht befallen. Ausserdem meiden sie Licht, Zugluft und kühle Temperaturen. Wabenschränke im warmen Bienenhaus sind ideale Brutplätze für Wachsmotten und deshalb zur Lagerung bebrüteter Waben ungeeignet (Massnahmen → Band „Imkerhandwerk", S. 100 f.).

Krankheiten und Abwehrmechanismen

Andere Mitbewohner

In und um Bienenkästen leben viele Insekten und andere Tiere, die den Bienen keinen oder nur geringen Schaden zufügen. In der Natur erfüllen sie alle wichtige Funktionen (→ Band „Natur- und Kulturgeschichte", S. 28–37).

Asseln und **Silberfischchen** sind Feuchtigkeitsanzeiger.

Ohrwürmer sind harmlos. Sie fressen Läuse auf Obstbäumen.

Spinnen verursachen keinen bedeutenden Bienenverlust und fangen auch Wachsmotten-Falter ab.

Pollenmilben ernähren sich von Pollen, der auf den Beuteboden fällt. Auf unbesetzten Pollenwaben können sie Pollenpfropfen zu leicht zerstäubendem Mehl zersetzen.

Speckkäfer zernagen alte Waben auf der Suche nach Pollen. Im Bienenhaus fressen sie herumliegende tote Bienen.

Totenkopfschwärmer tragen eine totenkopfähnliche Zeichnung auf dem Rücken und sind nachtaktive, seltene Honigdiebe. Sie sind die grössten mitteleuropäischen Schmetterlinge (Flügelspannweite 9–13 cm) und wandern alljährlich aus ihrer Heimat im tropischen Afrika nach Mitteleuropa ein. Dank eines Gemischs von Fettsäuren auf der Chitinhaut werden sie von den Bienen nicht als „Fremdkörper" erkannt, wenn sie auf den Waben Honig saugen (35).

Bienenläuse (Braula coeca) sind flügellose Fliegen, die in Europa im Zuge der Varroa-Bekämpfung selten geworden sind. Sie nehmen von der Zunge der Biene Nahrung auf. Königinnen können durch starken Lausbefall beim Eierlegen behindert werden. Die Frassgänge der Bienenlaus-Larven sind auf verdeckelten Futterzellen als feine, weisse Striche erkennbar.

Wespen sind an Honig und an toten Bienen interessiert. Auch Hornissen können aufsässige Eindringlinge sein, werden aber am Flugloch abgewehrt und richten kaum Schaden an (→ Band „Natur- und Kulturgeschichte", S. 28–32).

Bienenwölfe sind Grabwespen, die selten geworden sind. Um seine Brut zu ernähren, jagt der Bienenwolf Bienen, die er mit einem Stich lähmt.

Ameisen sind am Honig interessiert und profitieren von der Wärme zwischen den Bienenkästen.

Vögel können Bienen am Flugloch abfangen. Selten beschädigen Spechte Beuten (→ Band „Imkerhandwerk", S. 63).

Mäuse, Spitzmäuse, Siebenschläfer flüchten sich besonders im Winter in den warmen Bienenstock. Ihre Anwesenheit beunruhigt das Bienenvolk. Spitzmäuse sind ausserdem Insektenfresser und fressen auch Bienen (→ Band „Imkerhandwerk", S. 63).

Kleine Bienenbeutenkäfer (Aethina tumida) ernähren sich in den Tropen von faulenden Früchten und wurden nach Nordamerika verschleppt. Sie fressen Honig, Waben und Bienen und verkoten die Beute. Da sie im Boden unter dem Bienenstand überwintern, sind sie auch eine Gefahr für extensive Bienenstände in nördlichen Gebieten. In Europa kommen sie noch nicht vor (37).

Krankheiten und Abwehrmechanismen

Abb. 142
Totenkopfschwärmer
Der imposante, harmlose Falter versucht im Bienenstock Honig zu naschen.

Abb. 143
Bienenlaus
Eine Bienenlaus sitzt auf dem Kopf einer Biene. Sie hat sechs Beine und ist von Auge knapp erkennbar. Bienenläuse halten sich gerne auf dem Kopf der Königin auf. Wird diese von einer Arbeiterin gefüttert, nascht die Laus vom Futter.

Abb. 144
Kleiner Bienenbeutekäfer
Der Käfer ist ungefähr 7 mm lang. Er dringt zur Eiablage in die Völker ein. Die Larve frisst sich in Bienenvölkern satt und verpuppt sich im Boden. Das Exemplar auf dem Bild wurde in Florida gefunden. In Europa ist der Käfer zum Glück noch nicht anzutreffen.

Quellen

1. Aegerter, Ch. (1988). Das Trachtangebot verändert die Volksentwicklung. Schweizerische Bienen-Zeitung, 111(5): 249–254.
2. Autrum, H., Zwehl, V., von (1964). Die spektrale Empfindlichkeit einzelner Sehzellen des Bienenauges. Zeitschrift für vergleichende Physiologie, 48: 357–384.
3. Baudry, E., Solignac, M., Garnery, L., Gries, M., Cornuet, J.-M., Königer, N. (1998). Relatedness among honeybees (Apis mellifera) of a drone congregation. Proceedings of the Royal Society of London – Series B: Biological Sciences, 26(1409): 2009–2014.
4. Bühler, A., Lanzrein, B., Wille, H. (1983). Influence of temperature and carbon dioxide concentration on juvenile hormone titre and dependent parameters of adult worker honeybees, Apis mellifera L. Journal of Insect Physiology, 29(12): 885–893.
5. Bühlmann, G. (1992). Visualisation of honey bee colony development based on brood area and adult bee numbers. In: Biology and Evolution of Social Insects. Billen, J. (Hrsg.), Leuven University Press, Leuven, Seite 75–80.
6. Collett, T. S., Baron, J. (1994). Biological compasses and the coordinate frame of landmark memories in honeybees. Nature (London), 368: 137–140.
7. Combs, G. F. (1972). The engorgement of swarming worker honeybees. Journal of Apicultural Research, 11(3): 121–128.
8. Droege, G. (1993). Die Honigbiene von A bis Z: ein lexikalisches Fachbuch. Deutscher Landwirtschaftsverlag, Berlin; 8a: S. 126; 8b: S. 214–216; 8c: S. 296
9. Dyer, F. C. (1996). Spatial memory and navigation by honeybees on the scale of the foraging range. Journal of Experimental Biolology, 199(1): 147–154.
10. Esch, H. (1967). The sounds produced by swarming honey bees. Zeitschrift für vergleichende Physiologie, 56: 408–411.
11. Esch, H. E., Burns, J. E. (1996). Distance estimation by foraging honeybees. Journal of Experimental Biology, 199(1): 155–162.
12. Farrar, C. L. (1952). Ecological studies on overwintered honey bee colonies. Journal of Economical Entomology, 45(3): 445–449.
13. Fluri, P. (1986). Die soziale Organisation des Bienenvolkes und ihre Regulation durch das Juvenilhorm. Schweizerische Bienen-Zeitung, 109(5): 191–197, 109(6): 257–264.
14. Fluri, P. (1993). Die Regulation der Lebensdauer. Schweizerische Bienen-Zeitung, 116(11): 624–629.
15. Fyg, W. (1964). Über das Altern der Bienenköniginnen. Schweizerische Bienen-Zeitung, 87(12): 576.
16. Gerig, L. (1983). Lehrgang zur Erfassung der Volksstärke. Schweizerische Bienen-Zeitung, 106(4): 199–204.
17. Gerig, L., Imdorf, A. (1984). Entwicklung der Bienenpopulation von 2 Schwarmvölkern und deren Schwärme. Schweizerische Bienen-Zeitung, 107(6): 309–313.
18. Gerig, L., Wille, H. (1975). Periodizität in der Eiablage der Bienenköniginnen (Apis mellifera L.). Mitteilungen Schweizerische Entomologische Gesellschaft, 48(1–2): 91–97.
19. Gesamtstatistik des Vorjahres vom Bundesamt für Veterinärwesen, Mitteilungen (jeweils Januarnummer), Bundesamt für Veterinärwesen, Liebefeld.
20. Hepburn, H. R. (1986). Honeybees and Wax: an experimental natural history. Springer Verlag, New York, Berlin, Heidelberg; 20a: S. 99; 20b: S. 126; 20c: S. 113; 20d: S. 93.
21. Imdorf, A., Bühlmann, G., Gerig, L., Kilchenmann, V., Wille, H. (1987). Überprüfung der Schätzmethode zur Ermittlung der Brutfläche und der Anzahl Arbeiterinnen in freifliegenden Bienenvölkern. Apidologie, 18(2): 137–146.
22. Kirchner, W. H. (1994). Hearing in the honeybee: the mechanical response of the bees antenna to near field sound. Journal of Comparative Physiology A, 175: 261–265.
23. Königer, G. (1984). Funktionsmorphologische Befunde bei der Kopulation der Honigbiene (Apis mellifera L.). Apidologie, 15 (2): 189–204; und Königer, G. (1991). Diversity in Apis Mating systems. In: Diversity in the genus Apis. Smith, R. D. (Hrsg.), Westview Press & IBH Publishing Co. Pvt. Ltd., Oxford, Seite 199–212.
24. Königer G. (2000): Varroa destructor. Allgemeine Deutsche Imkerzeitung ADIZ, Nr. 11, 2000, S. 2–3.
25. Lehrer, M. (1993). Why do bees turn back and look? Journal of Comparative Physiology A, 172: 544–563.
26. Lehrer, M. (1998). Was bewegte Bilder der Biene erzählen. Biologie in unserer Zeit, 2/98: 93–106.
27. Lehrer, M. (1999). Dorsoventral asymmetry of colour discrimination in bees. Journal of Comparative Physiology A, 184: 195–206.
28. Lehrer, M., Horridge, G. A., Zhang, S. W., Gadagkar, R. (1994). Shape vision in bees: innate preference for flower-like patterns. Philosophical Transactions, Royal Society London, B 347: 123–137.
29. Lensky, Y., Slabezki, Y. (1981). The inhibiting effect of the queen bee (Apis mellifera L.) Foot-print pheromone on the construction of swarming queen cups. Journal of Insect Physiology, 27(5): 313–323.
30. Liebig, G. (1994). Die Zehrung im Winterhalbjahr (1989–1993) – Einfluss von Standort, Witterung und Volksstärke geprüft. Allgemeine Deutsche Imkerzeitung, 28(1): 8–10.
31. Liebig, G. (1997). Bienenvölker sicher überwintern – aber wie? Deutsches Bienen Journal, 5(7): 11–14.
32. Liebig, G. (1998). Die Frühjahrsreizung – Eingriff ohne Wirkung. Bienenwelt, 40(4): 98–103.
33. Menzel, R., Geiger, K., Chittka, L., Joerges, J., Kunze, J., Müller, U. (1996). The knowledge base of bee navigation. Journal of Experimental Biology, 199(1): 141–146.
34. Merz, R., Gerig, L., Wille, H., Leuthold, R. (1979). Das Problem der Kurz- und Langlebigkeit bei der Ein- und Auswinterung im Bienenvolk (Apis mellifera L): Eine Verhaltensstudie. Revue Suisse Zoologie, 86(3): 662–671.
35. Pro Natura – Schweizerischer Bund für Naturschutz (Hrsg.) (1997): Schmetterlinge und ihre Lebensräume. Arten, Gefährdung, Schutz. Band 2. Egg: Fotorotar AG, S. 522 – 525.
36. Ritter, W. (1994). Bienenkrankheiten, Ulmer, Stuttgart, Seite 84, 101.
37. Ritter, W. (1999): Kleiner Bienenbeutenkäfer. Allgemeine Deutsche Imkerzeitung ADIZ, Nr. 11/1999, S. 11; und ADIZ, Nr. 1/2000, S. 11.
38. Rossel, S., Wehner, R. (1984). How bees analyse the polarisation patterns in the sky. Journal of Comparative Physiology A, 154: 607–615.

39 Simpson, J. (1964). The mechanism of honey-bee queen piping. Zeitschrift für vergleichende Physiologie, 48: 277–282.
40 Simpson, J. (1972). Recent research on swarming behaviour, including sound production. Bee World, 53(2): 73–78.
41 Srinivasan, M. V., Lehrer, M. (1984). Temporal acuity of honeybee vision: behavioural studies using moving stimuli. Journal of Comparative Physiology, 155: 297–312.
42 Srinivasan, M. V., Zhang, S. W., Lehrer, M., Collett, T. S. (1996). Honeybee navigation en route to the goal: visual flight control and odometry. Journal of Experimental Biology, 199(1): 237–244.
43 Srinivasan, M. V., Zhang, S. W., Witney, K. (1994). Visual discrimination of pattern orientation by honeybees: performance and implication for cortical processing. Philosophical Transactions, Royal Society London, B 343: 199–210.
44 Vischer, PK. (1998): Colony integration and reproductive conflict in honey bees. Apidologie. 29 (1–2), Jan./April/1998, S. 23–45.
45 Walker, M. M., Bitterman, M. E. (1989). Honeybees can be trained to respond to very small changes in geomagnetic field intensity. Journal of Experimental Biology, 145: 489–494.
46 Waser, N. M. (1986). Flower constancy: definition, cause and measurement. American Naturalist, 127: 593–603.
47 Wehner, R. (1997). The ant's celestial compass system: spectral and polarisation channels. In: Orientation and Communication in Arthropods. M. Lehrer (Hrsg.), Birkhäuser, Basel, Boston, Berlin, Seite 145–186.
48 Wille, H. (1981). Ein- und Auswinterung, Gereimtes und Ungereimtes. Schweizerische Bienen-Zeitung, Nr. 9/1981, S. 444–459.
49 Wille, H. (1985). Überlebensstrategien des Bienenvolkes. Bienenwelt, 27: 169–182.
50 Wille, H., Gerig, L. (1976). Massenwechsel des Bienenvolkes. IV. Zusammenspiel der Eilegetätigkeit der Königin, der Bienenschlüpfrate und der Lebensdauer der Arbeiterinnen (Apis mellifica L.). Schweizerische Bienen-Zeitung, 99(1): 16–25, 99(3): 125–140, 99(5): 244–257.
51 Winston, M. L. (1987). The Biology of the Honey Bee. Harvard University Press, Cambridge, London, New York, S. 207–209
52 Woychiechowski, M., Kabat, L., Krol, E. (1994). The function of the mating sign in honey bees, Apis mellifera l.: new evidence. Animal Behaviour, 476: 733–735.

Weiterführende Literatur

Kapitel 1, 2 und 3

Dae, H. A. (1977). Anatomy and dissection of the honey bee. International Bee Research Association, London.
Dettner, K., Peters, W. (1999). Lehrbuch der Entomologie. Gustav Fischer Verlag, Stuttgart.
Droege, G., (1993). Die Honigbiene. Ein lexikalisches Fachbuch. Deutscher Landwirtschaftsverlag Berlin.
Erickson, E. H., Carlson, S. D., Garment, M. B. (1986). Atlas of the Honey Bee. Towa state University Press, Ames, Iowa.
Grout, R. A., Ruttner, F. (1973). Beute und Biene. Ehrenwirth Verlag, München.
Hepburn, H. R. (1986). Honeybees and Wax: an experimental natural history. Springer Verlag, New York, Berlin, Heidelberg.
Imdorf, A., Rickli, M., Fluri, P. (1996). Massenwechsel des Bienenvolkes. Broschüre Zentrum für Bienenforschung, Liebefeld.
Pawlowski, J. N. (1960). Methode der Sektion von Insekten. VEB Deutscher Verlag der Wissenschaften, Berlin.
Seeley, T. D. (1997). Honigbienen: Im Mikrokosmos des Bienenstocks. Birkhäuser Verlag, Basel.
Snodgrass, R. E. (1984). Anatomy of the Honey Bee. Cornell University Press, London.
Winston, M. L. (1987). The Biology of the Honey Bee. Harvard University Press, Cambridge, London, New York.

Kapitel 4

Frisch, K., von (1965): Tanzsprache und Orientierung der Bienen. Berlin: Springer Verlag.
Frisch, K., von (1969): Aus dem Leben der Bienen. Berlin: Springer Verlag.
Gould, J.L. und Gould, C.G. (1988): The Honeybee. New York: Scientific American Library
Lehrer, M. (Hrsg.) (1997): Orientation and Communication in Arthropods. Basel: Birkhäuser.
Lindauer, M. (1975): Verständigung im Bienenstaat. Stuttgart: G. Fischer Verlag.
Seeley, T. D. (1997). Honigbienen: im Mikrokosmos des Bienenstocks. Birkhäuser Verlag, Basel, Boston, Berlin.
Wiltschko, R., Wiltschko, W. (1995): Magnetic orientation in animals. Berlin: Springer Verlag.

Kapitel 5

Bailey, L. (1981). Honey Bee Pathology. Academic Press, London.
Charrière, J.-D., Imdorf, A. (1997). Schutz der Waben vor Mottenschäden. Mitteilungen Nr. 24, Zentrum für Bienenforschung, Liebefeld.
Charrière, J.-D., Hurst J., Imdorf A., Fluri P. (1999). Bienenvergiftungen. Mitteilungen Nr. 36, Zentrum für Bienenforschung, Liebefeld.
Pohl, F. (1995). Bienenkrankheiten. Deutscher Landwirtschaftsverlag, Berlin.
Ritter, W. (1994). Bienenkrankheiten. Ulmer, Stuttgart.
Ritter, W. (1996). Diagnostik und Bekämpfung der Bienenkrankheiten. Gustav Fischer Verlag, Stuttgart.
Zander, E. (begr.), Böttcher, F. K. (Hrsg.) (1984). Krankheiten der Biene. Ulmer, Stuttgart.

Register

A

Abdomen (Hinterleib) 8
Acarapis woodi, Acariose 106
Achroia grisella 112
Afterköniginnen 40, 111
Aggressivität 61
alarmieren 31
alkalische Drüse 32
Alter 66, 68
Ameisen 114
Ameisensäure 107
Amerikanische Faulbrut 92, 93
Ammenbienen 29, 41
Amöbenruhr 108
Anhardt'sche Drüse 16, 30
Apis cerana 89
Apis mellifera 89, 101
Arbeiterin 10, 12, 35, 36, 40, 58
Arbeitsteilung 40, 41, 71
Ascosphaera apis 96
Aspergillus flavus 96
Asseln 114
Atemorgane 22
Auflösungsvermögen 77
Augen 10, 25, 26
Augenkeile 25
Aussenskelett 9
Auswinterung 67

B

Bacillus alvei 94
Baubienen 7, 32, 41, 52, 53
Bauchmark 24
Bauverhalten 52, 53, 61
Begattung 43
    Begattungsschlauch 45, 47
    Begattungszeichen 33, 47
Behaarung 9
Beine 16
Belüftung 55
Bestäubung 65
bestiften 43
Bewegungssehen 77
Bienenbrot 56
    Bienenei 43
    Bienengift 19, 32
    Bienenlaus 114, 115
    Bienenstachel 19
    Bienentränke 58
    Bienenumsatz 90, 107
    Bienenvolk 35, 60
    Bienenwolf 114
blütenstetig 73, 74

Blutkreislauf 23
Bösartige Faulbrut 92
Brustmuskeln 55
Brustspeicheldrüse 30
Brut 92
    Brutaufzucht 60, 67, 68
    Brutmaximum 68
    Brutnesttemperatur 54
    Brutwaben 69
    Brutzelldeckel 50, 51
Buckelbrut 42

C

chemische Orientierung 78
Chitin 9
Chitinleisten 22
Chronisches Paralyse Virus 110
Corpora allata und cardiaca 34, 72
Cubitalindex, -zelle 13
Cuticula 9, 39, 91

D

Darm 20, 21, 23
Dressur 74
Drohne 10, 26, 27, 35, 36, 43, 44, 47
    Drohnenbrut 103
    drohnenbrütig 42, 111
    Drohnenmütterchen 40, 111
    Drohnensammelplätze 42, 44
    Drohnenschlacht 44, 70
    Drohnenzellen 49
Drüsen 16, 19, 28, 29, 30, 31, 32, 33, 34, 38,
    52, 60, 67, 90
Dufour'sche Drüse 32
Duft 78
Duftmarkierung 30, 31
Dünndarm 20
Duodenum 20

E

Ei 36, 37
    Eiablage 42
    Eibefruchtung 48
    Eierstöcke (Ovarien) 46
    Eilegeleistung 61, 68
    Eileiter 111
    Eiweisse (Proteine) 56, 57
Embryo 37
Entfernungsweisung 85, 86
Entwicklung 36, 37
Enzyme 29
Erdmagnetfeld 78
Europäische Faulbrut 94, 95

F

Fächeln 14, 15, 55
Faktorenkrankheit 97
Farbensehen 74, 75
Farbspektrum 26
Fernorientierung 74, 78
Fette (Lipide) 57
Fettkörper 24, 56, 61, 67, 71
Flugbrett 108
Flügel 13, 14, 15
Flugloch 55
Flugmuskeln 14, 54
Flugstrecke 80
Form-Merkmale 76
Formensehen 76
Fortpflanzung 45
Frisch, Karl von 82
Fructose 57
Fühler (Antennen) 10, 11, 26, 27, 28, 52
Fussabdruckpheromon 16, 30, 60
Fussdrüsen (Anhardt'sche Drüsen,
    Tarsaldrüsen) 30
Futteraustausch 40, 105
Futterreserven 70
Futtersaft 29, 36
Futtersaftdrüsen (Hypopharynxdrüse) 29, 67

G

Galleria melonella 112
Ganglien 24
Gedächtnisleistung 86
Gehirn (Oberschlundganglion) 24, 34
Gehörsinn 28
Geisselglieder 26
Gélée Royale 36
Geruchsorgane 26
Geruchssinn 78
Geschlechtsdrüsen 33
Geschlechtsorgane 46
    Geschlechtsorgane der Drohne 45
    Geschlechtsorgane der Königin 46
geschlechtsreif 42, 44
Geschlechtstrieb 31
Geschmacksorgane 26, 27
Geschmackssinn 78
Gesundheitszustand 88
Giftblase 19
    Giftdrüse 19, 32
    Giftstachel 90
    Gifttropfen 19
Glucose 57
Glucoseoxydase 29
Glykogen 24

Register

Grossbauarbeiten 53
Grosse Wachsmotte 112, 113
Grubenkegel 27
Gutartige Faulbrut 94

H

Haare 9
Haarsensillen 26
Haftfalte 14
Haftläppchen 16, 30
Hämolymphe 23
haploid 43
Häutung 39, 40
    Häutungshemmer 105
    Häutungshormone 34, 40
Herz 23
Hinterbein 18
Hochzeitsflug 42, 47, 64
Hoden 43, 45
Hofstaat 42
Honig 56
    Honigblase 20, 61
    Honigdickwaben 49
    Honigmagen 20
    Honigtau 56
    Honigzelldeckel 50, 51
Hormone 28
Hörorgan 83
Hörsinn 28
Hummeln 65
Hungerschwarm 63
Hygieneverhalten 89

I

Imago 37
Immunsystem 91
Invertase 29

J

Johnston'sche Organe 28
Jungbiene 39, 106
Jungkönigin 44, 62
Juvenilhormon 34, 40, 71, 72

K

Kalkbrut 87, 96, 97
Kältestarre 56
Kasten (Kastendetermination) 36
Katalase 30
Kleinbauarbeiten 53
Kleine Wachsmotte 112, 113
Kleiner Bienenbeutekäfer 114, 115
Kohlendioxidgehalt 27
Kohlenhydrate 56
Kokon 38, 39, 50
Kondenswasser 54

Königin 10, 13, 18, 19, 35, 36, 42, 43, 47, 61,
    62, 63, 64, 66, 68
    königinbedingte Probleme 111
    Königinnenpheromon 53
    Königinnensubstanz 29
    Königinnenzellen 49, 50
Kopf (Caput) 8, 10, 12
Kopfspeicheldrüsen 30
Körpergliederung 8
    Körperpflege 16
    Körpertemperatur 55
Koschevnikowsche Drüse
    (Stachelkammerdrüse) 31
Kot 89, 108, 110
    Kotblase 30, 58, 90, 111
    Kotflecken 108, 110
    Kotreste 50
Krallen 16, 28
Krankheit 70, 88
Kronblätter 75
Kühlwasser 55
Kunstschwarm 93

L

Längs- oder Kaltbau 51
Larve 36, 37, 38, 57
Larvenzeit 24
Lebensdauer 68, 70
Lebenslauf
    der Arbeiterinnen 40
    der Drohne 44
    der Königin 42
Legestörungen 111
Luftfeuchtigkeit 27, 58
Luftröhren, -säcke 22

M

Made 38
magnetische Orientierung 51, 78
magnetisches Sinnesorgan 78
Maikrankheit 111
Malpighische Gefässe 20, 23
Mandibeldrüsen 29, 60
    Mandibeldrüsensekret 36, 39, 91
    Mandibeln 38, 39, 52, 61
Massenwechsel 70
Mäuse 114
Melanin 9, 91
Melissococcus pluton 94
Metamorphose 37, 39, 40
Metamorphosehemmer 105
Mineralstoffe (Spurenelemente) 56, 57
Mitteldarm 20, 91, 108, 109
Mittelwand 48
Mundwerkzeuge 10, 11, 12
Muttervolk 63, 64, 89

N

Nachschaffungszellen 50
Nachschwarm 63
Nachtänzerinnen 82, 84
Nahorientierung 74, 76
Nährstoffe 57
Nahrungsbedarf 56
Nahrungsreserven 66
Nassanoffdrüse 30
Naturbau 49, 53
Nektar 56, 57
Nervensystem 23, 24, 25
Nestgeruch 31
Nestklima 54
neurosekretorische Zellen 34
Nieren 20
Nosema apis, Nosematose 91, 104, 108

O

Oberkiefer (Mandibeln) 11
    Oberkieferdrüsen (Mandibeldrüsen) 29
    Oberkieferdrüsensekret 11
Oenozyten 24
Ohrwürmer 114
Ommatidien 25, 26
Orientierung 7, 51
    Orientierungsflug 73, 77
    Orientierungsvermögen 74, 105
osmotischer Druck 57

P

Paarung 47
Paenibacillus larvae 91, 92
Parthenogenese 43, 45
Penis 45
Pericardialdrüsen 34
peritrophische Membran 20, 91
Pestizid 105
Pharynx 20
Pheromone 27, 28, 30, 40, 42, 60, 62
Pilzsporen 96
polarisiertes Himmelslicht 79, 80
Pollen 56, 57
    Pollenmilben 114
    Pollensammelapparat 17, 18
Populationsentwicklung 62, 67
    Populationsgrösse 66
    Populationsschätzung 68, 69
Porenplatten 27
Propolis 87, 89
Prothorakaldrüsen 34
Punktaugen (Ocellen) 25
Puppe 37, 39
Puppenhaut 50
Puppenzeit 24
Putzbienen 41, 93

Register

Putzscharte 16, 17
Putztrieb 61, 87, 93, 95, 97, 99, 103

Q
Quer- oder Warmbau 51

R
Rassenmerkmal 12
Rectum 20
Reinigungsflug 20, 107
Reizfütterung 70
Rektaldrüse 30, 90
Reuse 22
Richtungsinformation 78, 84
Riechkegel 26
Röhrchenbrut 113
Ruhr 110
Rundmade 38
Rundtanz 82, 84
Rüssel 12, 13
Rüsselschlagen 55

S
Sackbrut 98, 99
Samenleiter 45
Samenvorrat 111
Sammeltätigkeit 61
Sammlerinnen 41, 73
Sauerbrut 94
Schätzmethode 69
Scheinschwarm 63
Schleimdrüsen 33, 45
Schlund 20
Schlupfgewicht 50
Schlupfrate 69
Schorf 92, 93, 95, 99
Schwänzeltanz 82, 83, 84, 85
Schwarm, schwärmen 60, 85, 89, 90
    Schwarmtraube 55, 59, 62
    Schwarmzellen 50
Schwarzsucht 110
Schwereorgan 28, 85
Schwirrlauf 62
Segmente (Leibesringe) 8
Sekrete 58
Siebenschläfer 114
Silberfischchen 114
Singerschwarm 63
Sinnesorgane 11, 25, 27
Sklerotin 9
Sommerbienen 24, 56, 66, 67, 71, 72, 107
Sonnenkompass 78, 79, 81
Speckkäfer 114
Speicheldrüsen (Labialdrüsen) 29, 30, 52
Speiseröhre 20
Spermatheke (Samenblase) 33, 42, 46, 47, 111
Spermathekendrüse 33
Spermathekenpumpe 46
Spermien 43, 45, 47, 111
Spinndrüse 38
Spinne 114
Spinnsekret 30
Spitzmaus 114
Sprache 81
Spurbiene 62
Stachelapparat 19
    Stachelkammer 47
    Stachelkammerpheromon 62
Standort 89, 107
Staubblätter 75
Sterberate 69
Sterzelduft 62
sterzeln 30, 31
stilles Umweiseln 64
Stockklima 88
Stoffwechsel 58
Streckmade 38
Streichholztest 93
Stressfaktoren 97
Subgenualorgan 28

T
Tänzerin 82, 84
    Tanzsprache 82
    Tanztempo 85, 86
Tarsaldrüse 60
Tarsus 16
Tast- und Vibrationssinn 78
Temperatur 27
    Temperaturregulation 54
    Temperaturverteilung 54
Tergittaschendrüsen 31
Thermorezeptoren 54
Thorax (Brustteil) 8, 14
Totenkopfschwärmer 114, 115
Tracheen 22, 106
    Tracheenmilbe 106, 107
    Tracheensystem 22
    Tracheenwand 106
    Tracheolen 22
trichomatisches Farbsystem 74
tüten und quaken 22, 62, 63

U
Überhitzung 55
überwintern 65
Ultraviolett 26, 74, 75
Umweiselungszellen 50
Unterkiefer (Maxille) 12
Unterkühlung 100
Unterschlundganglion 24, 25

V
Varroa, Varroatose 89, 101, 104
Varroa-Weibchen und -Männchen 102
Varroaschäden 103
ventilieren 55
Ventiltrichter 20, 21, 91, 93, 95, 108
Ventraldrüsen 34
verbrausen 55
Verdauung 20
Verdeckelung 38, 50
Verdunstung 55
Vergiftung 104, 105
Virosen 104
Vitamine 56, 58
Vögel 114
Volksentwicklung 69
Volksstärke 62, 71
Vorderbeine 17, 27
Vorderdarm 20
Vorrat 56
Vorschwarm 62, 63
Vorspiel 73

W
Wabe 89, 112
    Wabenbau 48, 51
    Wabengasse 50
    Wabenschrank 113
Wachsdrüsen 16, 32, 33, 52
    Wachsmotten 105, 112, 113
    Wachsplättchen 30, 32, 33, 52
    Wachsspiegel 32
Wachstumsregulatoren 105
Wächterbiene 41
Waldhonig 110
Waldtrachtkrankheit 110
Wanderung 55
Wärmeproduktion 66
Wasser 56, 57
    Wasserbedarf 58
    Wassermangel 111
Weisellosigkeit 110, 111
Weiselzellen 50, 60, 61, 64
Wespen 65, 114
Widerhaken 19
Winterbienen 24, 56, 66, 67, 70, 71, 72, 90, 107
    Winterfutter 110
    Winterruhe 110
    Wintertraube 54, 65, 66, 72

Z
Zeitsinn 78, 79, 80
Zelle, Zellarten 48, 49
Zellwand 52
Zentralnervensystem 24
Zucker 57
Zunge 12, 52
Zwerchfell (Diaphragma) 23
Zygote 48